«Queen Size»

Louise Tremblay-D'Essiambre

«Queen Size»

Guy Saint-Jean
ÉDITEUR

Catalogage avant publication de Bibliothèque et Archives nationales du Québec et Bibliothèque et Archives Canada

Tremblay-D'Essiambre, Louise, 1953-
Queen size [texte (gros caractères)]
(Collection Focus)
Éd. originale: c1997.
Texte en français seulement.
ISBN 978-2-89455-354-1
I. Titre. II. Collection: Collection Focus.
PS8589.R476Q83 2010 C843'.54 C2010-940420-3
PS9589.R476Q83 2010

Nous reconnaissons l'aide financière du gouvernement du Canada par l'entremise du Programme d'Aide au Développement de l'Industrie de l'Édition (PADIÉ) ainsi que celle de la SODEC pour nos activités d'édition. Nous remercions le Conseil des Arts du Canada de l'aide accordée à notre programme de publication.

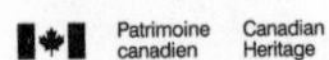

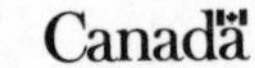

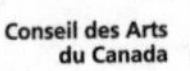

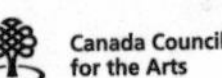

Gouvernement du Québec —Programme de crédit d'impôt pour l'édition de livres — Gestion SODEC

Illustration de la page couverture: Geneviève Côté
Conception graphique: Christiane Séguin

Dépôt légal — Bibliothèque et Archives nationales du Québec, Bibliothèque et Archives Canada, 2010
ISBN: 978-2-89455-354-1

Distribution et diffusion
Amérique: Prologue
France: De Borée
Belgique: La Caravelle S.A.
Suisse: Transat S.A.

Guy Saint-Jean Éditeur inc.
3154, boul. Industriel, Laval (Québec) Canada. H7L 4P7. 450 663-1777.
Courriel: info@saint-jeanediteur.com • Web: www.saint-jeanediteur.com

Guy Saint-Jean Éditeur France
30-32, rue de Lappe, 75011, Paris, France. 011 33 9 50 76 40 28.
Courriel: gsj.editeur@free.fr

Imprimé et relié au Canada

Grosse? Oui, pis après...
Miroir, miroir, dis-moi...

À Ginette qui n'est ni grosse ni laide,
mais dont les qualités de cœur
m'ont inspirée pour écrire ce livre.

À Raphaël et Madeleine,
mes deux bébés qui grandissent trop vite,
parce que je vous aime tellement.

« Adieu, dit le renard.
Voici mon secret. Il est très simple:
on ne voit bien qu'avec le cœur.
L'essentiel est invisible pour les yeux. »

(Antoine de Saint-Exupéry)
Le petit prince

Note de l'auteur

« Ma grosse Pauline ! »
Tout au long de l'écriture de ce roman, c'est ainsi que j'appelais mon personnage. Pas très gentil, me direz-vous. Mais je n'y peux rien. Car Pauline est grosse, très grosse même. Alors, je l'appelais « ma grosse »... Non pas dans le sens péjoratif du terme, mais plutôt avec beaucoup d'affection, de tendresse, de complicité. De tous les personnages que j'ai créés et qui m'ont habitée le temps d'un livre, c'est peut-être Pauline qui me ressemble le plus. À travers elle, je reconnais mes indécisions, mes élans, mes espérances, mes travers. Pourquoi ? Au début, je ne le savais pas vraiment. D'où me venait cette attirance ? Car je ne suis pas grosse et mon visage ressemble probablement au vôtre. Il se confond à la majorité des femmes. Alors ?

C'est en relisant le manuscrit que j'ai compris. Pauline ce n'est pas uniquement une femme obèse, peu sûre d'elle-même. Pauline, c'est aussi toutes les femmes dans ce qu'elles ont d'excessif, de confiant, de naturel, d'instinctif. Pauline c'est moi, c'est vous, c'est celle que l'on voit, assise dans le métro. Pauline, c'est une amie, une confidente ou une simple passante. Pauline, c'est la vie d'aujourd'hui avec ses contraintes, ses frustrations et sa noblesse aussi. Pauline, c'est un appel à la beauté qui se cache en chacun d'entre nous, Hommes et femmes confondus.

1

Quand la sonnerie stridente du cadran déchire le silence confortable du petit matin, Pauline ramène la couverture jusqu'aux oreilles pour ne plus l'entendre, en grognant comme un vieil ours que l'on dérange.

Mais, aussitôt après, sa main impatiente rabat le drap léger, avant de tâtonner vers la table de nuit pour interrompre le bruit agaçant et désagréable.

Un mince sourire se dessine alors et flotte un instant sur le visage rond qui repose sur l'oreiller fleuri, les paupières encore hermétiquement closes. Ses deux bras s'étirent en même temps qu'un long bâillement se fond aux cris obsédants des goélands. Puis, les paupières bouffies se soulèvent et un regard noisette se pose sur la clarté naissante, soulignée par une brume rosée qui se confond au bleu de l'océan, là-bas, un peu plus loin, dans le petit carré d'infini que lui offre la fenêtre de sa chambre.

Il fera beau, à n'en pas douter.

Du reste, ce matin n'étant pas un matin comme les autres, c'est amplement suffisant pour avoir envie de sauter en bas du lit.

Aujourd'hui, c'est jour de rentrée scolaire...

Enfonçant fermement son coude gauche dans le matelas, Pauline se soulève à demi, s'arrête un moment, prend une profonde inspiration et se tourne sur le côté en expirant bruyamment. Alors, d'un coup de reins puissant, soutenue maintenant par son poing refermé qui agrippe le bord du lit, elle arrive à s'asseoir, le pied gauche reposant sur le plancher. D'un geste machinal de la main contre sa cuisse droite, elle ramène aussitôt l'autre jambe contre la première, les orteils recroquevillés, décontenancée par la fraîcheur surprenante du prélart à larges fleurs vertes et jaunes.

Puis, un soupir de soulagement. Le pire est fait !

— Maudite carcasse !

Un bref moment pour reprendre son souffle et Pauline Ferland, professeur à la polyvalente de Grande-Baie, pourra se lever.

On ne tire pas cent trente-cinq kilos d'un lit avec l'agilité d'une chatte sautant en bas d'une table. Dans quelques minutes, quand le cœur aura cessé de se débattre, Pauline descendra à la cuisine pour mettre le café à infuser et le bacon à cuire au micro-ondes, avant de se servir un grand verre de jus d'orange. Chaque matin, beau temps mauvais temps, hiver comme été, Pauline respecte ce rituel.

Quand on vit seule, on n'a pas à s'embarrasser de varier ses horaires, n'ayant que soi à contenter.

Et, comme ce train-train lui convient...

La seule chose que Pauline consente à modifier, c'est l'heure où elle se glisse dans la routine d'une nouvelle journée. Six heures trente quand il y a classe et huit heures trente, les jours de congé.

Pour une femme telle mademoiselle Ferland, c'est tout à fait suffisant pour y voir un changement et y prendre plaisir.

La protestation lancinante des marches de l'escalier est le signal de départ à toute nouvelle journée; hier, comme demain. Ensuite, c'est la voix d'un chanteur français, projetée avec puissance par le lecteur de CD installé dans un coin du salon, qui donne vie à toute la demeure. Parfois, Jean Ferrat et Aznavour, ou encore Jacques Brel, Sardou, Brassens. Peu importe... la petite maison blanche et bleue, sur le bord du cap à Baie-des-Sables, vient de s'éveiller et, en été, quand le vent tourne de l'est au sud-ouest, on peut s'en rendre compte jusqu'au troisième voisin: Gabriel Vignaut, un copain d'enfance qui habite en bas de la butte, proche du village.

Pendant que l'odeur vivifiante du café envahit la cuisine, Pauline revient à l'étage en chantonnant.

— Elle va mourir, laaa mamaaaa...

Charles Aznavour est en voix ce matin; Pauline aussi. C'est le moment de la journée qu'elle préfère: celui où elle prend une première douche dans la salle de bain aménagée selon ses choix et critères personnels.

Quelques années après la mort de sa mère, quand Pauline Ferland, fille unique, a hérité de la demeure familiale au décès de son père, elle n'a pas hésité une seule seconde. En femme pratique, elle a mis en sous-location l'appartement qu'elle occupait depuis dix ans à Grande-Baie et est revenue s'installer à Baie-des-Sables, son village natal. Une demi-heure de route, matin et soir, lui permettant tout juste d'entendre les nouvelles régionales et nationales au poste local; c'était parfait. Et, avec le petit pécule amassé au fil des années par un homme pauvre mais économe, Pauline a pu remodeler la maison à son image.

Une image de grandeur.

Elle a donc fait abattre quelques cloisons, agrandir les deux ou trois fenêtres qui donnent sur la mer et surtout, oh ! oui surtout, elle s'est attaquée à la salle de bain. Finie la minuscule pièce où, adolescente et jeune femme, elle se frappait immanquablement contre l'évier quand elle voulait aller aux toilettes et se heurtait douloureusement la hanche contre le réservoir de cette même toilette à sa sortie du bain. La première fois qu'elle a visité la maison à titre de propriétaire, Pauline a claqué la porte de la salle de bain avec un sourire malveillant au fond du regard.

L'heure de la vengeance venait de sonner !

Dès la semaine suivante, quelques ouvriers envahissaient les lieux. En moins de deux jours, la ridicule salle de bain se voyait réduite en placard de bonnes dimensions.

— Et voilà ! C'est tout ce qu'elle méritait.

De la plus grande des trois chambres, Pauline a fait une salle d'eau à la mesure de ses fantasmes les plus fous: une douche en céramique immense où, même elle, Pauline Ferland, obèse depuis toujours, arrive à s'y sentir petite; un bain sur podium muni d'une solide poignée sur le mur, pour en ressortir sans se contorsionner; deux éviers encastrés dans un large comptoir — on ne sait jamais, ça peut servir ! — et séparés l'un de l'autre par un minuscule miroir. Si petit, qu'on arrive tout juste à s'y mirer le bout du nez. Et encore !

Mais là aussi, c'est un peu un cadeau que Pauline a eu envie de s'offrir.

Dans un élan d'énergie vitale, elle a réuni tous les miroirs pleine grandeur qui ornaient les murs de la maison, les a enveloppés dans de vieux journaux, pour finalement les abandonner au fond du nouveau placard.

— Bon débarras!

Si sa mère l'avait vue faire, sûrement qu'elle aurait joint les mains à hauteur du cœur et, dans un geste théâtral, aurait levé les yeux au ciel. C'est qu'elle y tenait à ses miroirs: Chaque vendredi matin, à travers le cérémonial du ménage hebdomadaire, madame Ferland prenait religieusement une heure de son temps pour les astiquer et les faire reluire. C'est pourquoi, en femme de principe qu'elle était, madame Gérard Ferland aurait toisé sa fille d'un regard sévère et pointé un index colérique sous son nez.

— À quoi penses-tu, ma fille? Des miroirs biseautés, ça n'a pas de prix!

Mais biseautés ou pas biseautés, Pauline s'en fout comme de sa première paire de culottes. Et sa mère n'étant plus de ce monde pour imposer ses vues...

Si un jour la grosse Ferland arrive à maigrir, et rien n'est moins sûr, ils regagneront leurs lettres de noblesse et leur place privilégiée sur les murs de la maison. Pauline en a fait le serment. Car aucune chose en ce monde ne pourra lui faire plus plaisir que de croiser son reflet dans tous les coins et recoins de la maison. Mais en attendant ce jour béni, elle n'a pas besoin de se heurter à sa propre image.

De la trimbaler partout où elle va est déjà largement suffisant...

Pendant de longues minutes, elle laisse l'eau lui couler le long du dos en roulant des épaules et en gémissant de plaisir. C'est peut-être à ce moment-là qu'elle se sent le plus femme. Une femme semblable aux autres, jolie, désirable.

Cette chaleur de l'eau, comme une caresse sensuelle sur sa peau...

Quand elle attrape le savon pour se laver, le rêve s'échappe en même temps que la mousse, avalé par le tuyau de renvoi d'eau. Tous les plis et replis de son corps la ramènent brutalement à la réalité. Sa réalité. Pour ne pas succomber à l'amertume, Pauline se savonne énergiquement, prépare mentalement la journée qui vient.

Cinq minutes de rêverie, chaque matin, c'est sa dose quotidienne de vanité, son viatique. Comme d'autres prennent des vitamines. C'est peu mais essentiel pour elle.

Pour tout le reste, Pauline Ferland est un être pratique, une femme d'habitudes qui a les deux pieds sur terre.

Et au poids qu'elle a, aucun danger qu'elle ne dérape...

Enveloppée dans un vieux peignoir de ratine au bleu délavé, Pauline est revenue à sa chambre. Une pièce somme toute ordinaire, très ordinaire même, et assez petite. Pauline s'en contente. De toute façon, pourquoi en serait-il autrement ? Quand on vit seule, on n'y vient que pour dormir. Alors...

L'espace d'un instant, elle s'attarde à la fenêtre. La vapeur rosée du petit jour s'effiloche maintenant en longs filaments diaphanes et se marie intimement à la brillance de l'eau. Comme le lui disait son père, quand la mer aspire la brume du matin avec gourmandise, c'est que la journée sera belle et chaude. Pauline fronce les sourcils en grimaçant. Elle n'aime pas tellement la chaleur. Ça l'incommode. Déjà, à peine sortie de la douche, une mince pellicule de moiteur enveloppe sa peau et quelques gouttes de sueur perlent à sa lèvre supérieure. D'un geste brusque, elle passe machinalement la main sur son visage, l'essuie sur le pan de sa robe de chambre. Elle n'aura donc pas le choix de porter une robe de couleur pâle si elle veut éviter les taches disgracieuses. Pourtant, avec son teint laiteux, le marine lui va si bien. Et pour un premier contact avec les élèves, Pauline aurait tellement aimé se sentir en beauté, à tout le moins en confiance. Mais que voulez-vous qu'elle y fasse ? Pauline Ferland ne contrôle pas la température. En soupirant, elle scrute l'horizon d'un regard accablé. Devant le bleu obstiné que le ciel lui renvoie, elle revient sur ses pas, déçue, pour ouvrir sa penderie en soupirant à nouveau.

Toutefois, chaque médaille a son revers. Et quand il fait beau comme c'est le cas ce matin, le petit déjeuner se prend invariablement sur la galerie arrière de la maison, face à la mer. Pauline adore ce rituel. Cette vieille habitude date de sa tendre enfance, selon une croyance de sa mère que le premier repas de la journée était le plus important et qu'on devrait prendre tout son temps pour le déguster. Pauline n'a jamais émis la moindre contradiction à ce sujet ni le moindre doute. C'est même le seul repas où elle ne se sent jamais coupable de manger. Grosse ou pas, il faut de l'énergie pour attaquer la journée du bon pied. Ça aussi, c'est sa mère qui le disait...

Céréales, rôties, confitures, cretons, œufs, bacon et un gros pot de café. Sept heures quinze. Pauline a trente longues minutes devant elle. À elle. Aimant bien manger, de le faire, toute seule, dans ce décor bucolique, est un moment de pur plaisir.

En public, un vague remords vient toujours troubler son agrément.

La seule chose qui lui manque, présentement, c'est le bateau de pêche de son père se balançant mollement sur la ligne d'horizon. Petit bouchon flottant qui accompagnait souvent les déjeuners de son enfance. Malgré tout, en fermant les yeux, elle arrive parfois à percevoir l'odeur de morue qui lui montait aux narines et qui imprégnait ses vêtements quand elle descendait sur la plage pour accueillir son père en fin de journée. Pauline Ferland, fille et petite-fille de pêcheurs, aime la senteur du poisson. Pour elle, c'est le parfum de la vie dans tout ce qu'elle a de généreux.

Minutieuse, elle rince la vaisselle de ce premier repas, l'empile dans l'évier pour la faire ce soir, avec celle du soir. Elle retire son sac à goûter du réfrigérateur et le dépose près de son sac à main, dans l'entrée. Puis, elle revient sur ses pas et retourne à l'étage afin de se maquiller. Un bien grand mot pour désigner l'ombre pêche dont elle souligne ses lèvres minces. Pauline ne s'est jamais trouvée jolie. Alors, de farder un visage quelconque avec toutes sortes de crèmes et de crayons lui semble une aberration.

On met en valeur ce qui est attrayant, pas ce qui nous semble laid.

Pourtant, jusqu'à l'âge de dix ans, avec ses nattes couleur de tire, ses yeux noisette constamment en sourire et ses joues rebondies, elle attirait souvent les regards, la petite Pauline. On disait d'elle qu'elle était l'incarnation de la santé. Puis, l'adolescence lui est venue, comme une tonne de briques vous tombe sur la tête. Elle ne se rappelle plus ni quand ni la façon exactement mais, dans son esprit, il y a une coupure. Sensible et douloureuse telle une véritable blessure. Avant, il y a une enfance pleine de soleil, d'amies, de plaisir. Après, c'est l'ombre de la solitude qui enveloppe le moindre de ses souvenirs. Toutes ces excuses quand elle appelait ses amies pour savoir ce qu'elles faisaient. Ces interminables soirées de danse à la salle paroissiale où elle faisait tapisserie, où on ne venait à elle que pour l'entendre raconter une des innombrables blagues dont elle avait le secret et qui faisaient rire la galerie... Mais Pauline n'était pas dupe. Elle sentait la réticence, quand elle s'offrait à accompagner ses amies pour magasiner à Gaspé ou à Chandler, lorsqu'elle voulait se joindre à elles pour prendre un soda chez *Miville*, le casse-croûte du village. Après plusieurs mois d'entêtement, de nombreuses nuits de larmes dans l'oreiller et des heures et des heures devant le grand miroir accroché sur le mur de sa chambre, Pauline l'avait finalement concédé: elle était vraiment grosse, pas très jolie et faisait probablement fuir les garçons. Ce devait être pour cela que ses copines la tenaient à distance. Ni plus ni moins. Comment justifier autrement un tel changement dans leur attitude? Pauline Ferland, la grosse fille laide, nuisait aux aspirations sentimentales de ses anciennes amies. Celles qui avaient juré en même temps qu'elle que rien ne ternirait jamais leur amitié... Chaque fois que Pauline se rappelait la fameuse nuit où, installées dans la chambre de Josée, elles avaient passé ce qu'elles appelaient pompeusement le pacte de fidélité, elle en avait les larmes aux yeux. Car Pauline était réellement sincère quand elle avait juré, une main sur le cœur, qu'elle serait toujours une amie loyale.

Malgré tout, petit à petit, elle avait excusé ses amies. À quinze ans, toutes les filles de la terre rêvent de sortir avec un garçon. Avoir un copain, un « chum steady ». Ses amies n'étaient pas différentes des autres filles de leur âge. Et traîner un chaperon avec soi n'est pas nécessairement très agréable. Alors, Pauline a fini par ne plus raconter de blagues et n'est plus retournée danser. Puis, un bon matin, elle a pris la décision de ne plus appeler Nicole, Josée ou Marie-Luce. Leurs refus répétés lui faisaient trop mal. Elle s'est donc mise à étudier comme une forcenée, à lire tout ce qui lui tombait sous la main et à écouter religieusement tous les téléromans qui arrivaient, tant bien que mal, à meubler les interminables soirées d'hiver. Et lorsque l'époque des examens arrivait, que subitement ses amies se rappelaient son existence — c'est qu'elle expliquait si bien les problèmes de mathématiques, Pauline — l'adolescente acceptait de bonne grâce de renouer avec ses anciennes copines, le temps d'une étude. Déjà, à cet âge, elle avait appris à profiter de tout ce qui passait dans sa vie. Pauline écoutait les filles lui parler de leurs histoires de cœur, participait du bout des mots et des envies à leurs intrigues, s'improvisait conseillère l'instant d'une confidence. À force de lire et de regarder toutes ces émissions de télévision, Pauline savait souvent répéter le bon mot au bon moment et ses amies semblaient tenir compte de ses propos. Pauline en retirait une espèce de fierté, une forme de motivation.

Alors, l'envie de devenir professeur, de continuer à expliquer les choses date bien, elle aussi, de ce moment-là.

Mais, à cause de toutes ces heures de solitude, succédant péniblement à de rares moments de complicité, c'est aussi à cette même époque que l'éclat malicieux de son regard s'est éteint et qu'elle a choisi de refuser les quelques invitations qui s'offraient à elle.

Pauline n'avait surtout pas l'intention de susciter de la pitié...

Elle devait avoir près de seize ans. Elle avait la très nette impression d'en avoir cinquante.

Maintenant, à quarante ans, il n'y a qu'aux heures où elle se retrouve devant une classe que son allure reprend sa vivacité pétillante. C'est le seul moment où Pauline Ferland se sent en parfait contrôle sur sa vie et ses émotions. Malgré les apparences, elle reste une femme timide, peu sûre d'elle-même.

Avant de se coiffer et d'utiliser son tube de rouge à lèvres, Pauline en profite pour se rafraîchir d'une serviette froide passée sur les bras et le visage. Ensuite, elle brosse énergiquement ses cheveux châtains qu'elle porte mi-longs, les attache sur la nuque avec une barrette en corne ivoire, fait bouffer la frange sur son front. Puis, elle s'arrête devant le petit miroir, penche la tête avant de relever le menton pour réussir à voir tout son visage: les yeux carrément trop écartés et en amande; le nez un peu fort à sa base, comme celui de son père dont elle a hérité de la carrure; les joues parfaitement rondes, pour ne pas dire rebondies; le menton qui se dédouble, même quand elle étire le cou. Non, décidément, il n'y a rien dans ce visage qui mérite qu'on s'y attarde. Sauf peut-être ses lèvres minces et bien dessinées, comme celles de sa mère qui était très belle, et tolérant un soupçon de couleur. Seule concession faite à la féminité. Hormis son teint qui, malgré ses quarante ans, a gardé la fraîcheur d'une peau de jeune femme, sans rides, Pauline n'aime pas l'image qu'elle projette. Trop ronde, trop bonne santé. Comme une grosse pomme d'automne bien rouge. Il n'y a rien de vraiment féminin ou de très séduisant dans une grosse pomme rouge, sinon l'envie qu'on peut avoir de la croquer.

À cette pensée, un sourire narquois traverse son regard.

— Tous les hommes devraient s'appeler Adam, marmonne-t-elle entre ses dents, en attrapant son tube de rouge placé sur le comptoir.

Deux traits de couleur nacrée tracés d'une main adroite, une bouche qui grimace pour bien étaler la pommade légèrement sucrée et, sur une lourde pirouette, elle quitte la salle de bain. Il est huit heures cinquante. Dans cinq minutes, les nouvelles vont commencer. Au moment précis où l'auto de Pauline arrivera en bas de la côte devant la maison de Gabriel, à l'entrée du village. Elle traverse le salon en coup de vent, interrompt cavalièrement Aznavour, revient sur ses pas pour happer son sac à main et son cartable, dans lequel elle glisse son goûter. Elle ouvre et referme la porte extérieure qui donne sur la façade de la maison, pour finalement débouler d'un pas résolu le talus qui mène à son auto, garée tout à côté de l'ancien hangar à bateau de son père.

La journée du professeur vient de commencer et Pauline Ferland, professeur, sait fort bien où elle va. Sur le sujet, son assurance est inébranlable.

* * *

Au moment où la Chrysler de Pauline passe devant la maison de Gabriel Vignaut, celui-ci vient tout juste de sortir sur la galerie. Un coup de klaxon, deux mains qui se lèvent à l'unisson, pendant que la radio de l'automobile fait entendre l'indicatif musical qui précède le bulletin des nouvelles. Pauline a à peine le temps de se dire qu'il y a deux ans, jamais elle n'aurait pu voir Gabriel chez lui, à cette heure matinale. Il était en mer, Gabriel, jusqu'au beau milieu de l'après-midi. Aujourd'hui, avec le moratoire sur la pêche à la morue, il attend ses chèques de l'assistance sociale en rongeant son frein. Gabriel, c'est un ami d'enfance que Pauline a perdu de vue l'année où il a abandonné l'école pour suivre son père en mer. Il devait avoir à peu près quatorze ans.

Puis, quelques années plus tard, elle avait appris par sa mère — banalité parmi tant d'autres dans un village comme Baie-des-Sables — que Gabriel allait bientôt se marier. Les cloches de l'église de la paroisse avaient bien dû sonner à trois ou quatre reprises pour saluer le baptême de ses enfants. La dernière fois que Pauline avait entendu parler de Gabriel, c'était l'année dernière, à l'épicerie, quand elle faisait la file devant la caisse. Le potin d'une commère à une autre: Jeannette, la femme de Gabriel, venait de le quitter pour suivre un vague cousin à la ville. Enfin, c'est ce qu'on en disait. Pauline en avait été sincèrement peinée. C'est pourquoi, depuis ce jour-là, elle aimerait bien renouer avec Gabriel, offrir son amitié à cet inséparable de sa jeune enfance avec qui elle faisait des concours de galets quand la mer était étale.

Elle s'est contentée de ces quelques coups d'avertisseur, quand le hasard se permet d'intervenir, trop gênée pour oser davantage. Et finalement, quand on regarde la chose bien froidement, Gabriel non plus n'a jamais donné suite à ses timides tentatives. Sinon une main polie qui rend la salutation. Alors...

La voix de l'annonceur parlant encore une fois du meurtre récent d'une jeune femme sur la plage de Maria interrompt une réflexion qui allait mourir d'elle-même, de toute façon.

— Sac à plumes ! Mais où est-ce que le monde s'en va, pouvez-vous me le dire ?

Il n'y aura que les cris d'une bande d'adolescents qui sauront avoir le dessus sur ses considérations sociales. Des informations, Pauline n'a rien retenu, ni même entendu, perdue qu'elle était dans une suite de pensées contradictoires sur un monde qui ne tourne pas rond. Mais, au moment où elle ouvre la portière et que les rires des jeunes se bousculant dans la cour principale de l'école secondaire de Grande-Baie viennent la courtiser, un beau sourire éclaire enfin le visage de Pauline, toute morosité évanouie.

Enfin ! Enfin l'école recommence.

Après avoir pris son cartable et son sac à

main, elle referme vigoureusement la portière, avant de s'y appuyer un instant. Le temps de prendre une profonde respiration comme lorsque la joie est trop intense et qu'on a l'impression d'avoir le souffle coupé.

— Pauline...

— Mademoiselle Ferland !

Le regard brillant, Pauline détourne la tête, reconnaît aussitôt quelques visages. Alors, bateau puissant fendant la mer, elle ouvre la masse compacte des étudiants, à la rencontre des anciens qui viennent de la saluer. Pauline Ferland, même si elle attire les moqueries et les quolibets en septembre, est un professeur que l'on quitte toujours à regret en juin.

— Salut la gang ! Pis, vous avez passé un bel été ? Oh ! Mario... Ta fracture à la jambe est bien guérie, à ce que je vois... Où est Myriam ? Elle n'est pas avec vous, ce matin ?

Les jeunes s'agglutinent autour d'elle, véritable essaim d'abeilles autour de la reine. Début secondaire III, on peut encore avoir une telle attitude. On est à l'âge de la sensation désagréable de n'avoir aucune place à soi, d'être assis entre deux chaises. Convaincu de ne plus être un enfant, on ne comprend cependant rien à celui qu'on est devenu et on tient obstinément à être traité en adulte!

Rien de plus complexe que d'être un « ado ».

Et n'allez surtout pas le contredire! Pauline fait partie de ces adultes qui n'ont rien oublié de cette période de la vie: la solitude, les rejets, les complexes, les larmes. Alors, elle reste à l'écoute sans jamais forcer la note. « On ne provoque pas les confidences, a-t-elle coutume de dire, on les accueille. » Les jeunes qui ont eu la chance de croiser sa route l'adorent sans restriction.

Ils sont près d'une dizaine à parler tous en même temps, se bousculant, s'interrompant, pouffant de rire. Pauline répond à droite, à gauche, se retourne. Puis, la sonnerie stridente appelant le début des cours se fait entendre, insistante, dérangeante. Il y a des soupirs, quelques mots grossiers que Pauline fait semblant de ne pas entendre. Un peu à contrecœur, elle s'éloigne.

— C'est l'heure...

Après deux ou trois pas, elle se retourne une dernière fois vers les jeunes qui commencent à se disperser, leur offre son beau sourire.

— Même si moi je reste abonnée au secondaire II, lance-t-elle en riant, que cela ne vous empêche pas de venir me voir de temps en temps. Je n'ai pas changé pendant l'été, vous savez. La porte de ma classe vous sera toujours ouverte. Tous les jours jusqu'à cinq heures, sauf le vendredi.

Quelques sourires, des promesses, puis tout le monde s'éparpille.

L'école secondaire de Grande-Baie occupe l'ancien couvent des sœurs du Saint-Nom. Les familles étant de moins en moins riches et n'inscrivant plus leurs filles à l'école privée, les bonnes sœurs, de moins en moins nombreuses elles aussi, avaient dû se résoudre à fermer leur institution et avaient vendu l'édifice au ministère. On avait ajouté une aile moderne pour abriter le gymnase et les laboratoires, mais le cœur de l'édifice demeurait ce qu'il avait toujours été: un immeuble de trois étages en pierre de taille et au toit de tôle argentée, niché dans un parc ombragé par des arbres centenaires. Et le soir, quand elle quittait les lieux désertés et presque silencieux, Pauline aurait juré qu'il flottait encore dans l'air une odeur de soupe aux choux et de cire d'abeille, avec une pointe de citrouille en automne. Comme dans tout pensionnat qui se respecte. Les planchers en lattes de bois craquaient au même rythme que l'escalier de sa maison, donnant une âme à l'école.

Le seul défaut de cette vieille bâtisse, selon Pauline, c'est le manque d'ascenseur. Et comme sa classe est au troisième...

Arrivée au bas de l'escalier réservé au personnel de l'école, à gauche du grand hall, Pauline s'arrête un instant, prend une profonde inspiration, avant d'agripper la rampe d'une main déterminée.

— À l'attaque, murmure-t-elle pour elle-même.

Six volées de quinze marches chacune. Juste à y penser, Pauline en a froid dans le dos.

Lever quatre-vingt-dix fois cent trente-cinq kilos, c'est quelque chose !

Pour ne pas éparpiller ses énergies, elle s'applique à compter chacune des marches qui la rapprochent du but à atteindre. Parfois, elle grimpe même les trois étages les yeux fermés.

Quelques confrères la saluent au passage avant de la dépasser, leur conversation se perdant dans la spirale de l'escalier. Ils n'attendent jamais de réponse de Pauline.

Quand elle se rend à sa classe, mademoiselle Ferland concentre ses efforts à monter. Elle ne parle jamais.

Quatre-vingt-huit, quatre-vingt-neuf, quatre-vingt-dix...

— Sac à plumes que c'est haut!

La chaleur de la journée n'aidant pas — il fait au moins aussi chaud que lors de la canicule de juillet dernier, Pauline en mettrait sa main au feu — la grosse femme doit s'arrêter pour reprendre son souffle, appuyée contre la rampe du troisième palier. Écarlate, la sueur lui coulant jusque dans le creux des reins, Pauline Ferland a l'impression qu'elle va littéralement éclater. Une main posée sur la poitrine, se soutenant de l'autre, elle s'oblige à plusieurs respirations profondes pour calmer son cœur qui bat la chamade. Enfin, elle fait quelques pas, s'oriente. La seconde porte à droite est celle de sa classe, la même depuis maintenant quinze ans. Toujours essoufflée, elle s'y dirige. Le corridor large et sombre résonne des piaillements assourdissants d'une bonne centaine de jeunes de douze et treize ans. Une vraie nuée de moineaux subitement enfermés dans une cage! Deux ou trois portes se referment en claquant, étouffant le bruit. L'image, toutefois, persiste dans l'esprit de Pauline et la fait sourire au moment où elle entre dans sa classe, toujours aussi rouge, mais un peu moins haletante.

— Bon matin à tous!

Bref instant de silence.

Vingt-deux paires d'yeux de toutes les couleurs se posent sur la femme en robe fleurie rose et blanche qui se tient dans l'embrasure de la porte, occupant tout l'espace disponible. Premier examen, des regards en point d'interrogation et les conversations reprennent de plus belle.

Depuis quelques jours déjà, on sait que

la grosse Ferland sera notre titulaire. On a vaguement entendu dire qu'elle était gentille, mais on a décidé de ne pas en tenir compte. On verra plutôt, avec le temps. Et le premier matin de classe n'ayant pas été inventé pour travailler, les jeunes reviennent à leur préoccupation du moment: tenter de créer une transition entre des vacances toujours trop courtes et l'affreuse routine des cours et des devoirs. D'ailleurs, si cette transition peut s'étirer pendant quelques jours, personne ne viendra s'en plaindre.

Sans se tracasser outre mesure du vacarme qui règne pour l'instant dans sa classe, mademoiselle Ferland se dirige vers son bureau, juché sur une estrade, comme le voulait la coutume dans les anciennes écoles. Elle dépose son cartable sur le pupitre et glisse son sac à main dans le grand tiroir de droite. Puis, toujours aussi silencieuse, elle se met à déambuler sur l'estrade, replace une craie, s'arrête un moment devant la carte du monde accrochée près du tableau, avant de revenir au centre de la tribune. Elle se retourne face à la classe.

Grande et corpulente, ainsi campée à un mètre au-dessus des étudiants, Pauline Ferland est imposante.

Toujours sans dire un mot, elle examine les têtes qui s'agitent devant elle. Les unes après les autres, lentement. Parfois, un regard croise le sien, se dérobe, gêné, ou encore répond à son sourire. Têtes blondes, brunes ou rousses et une autre tirant sur le mauve, dans le coin à gauche, près d'un jeune garçon aux allures d'Iroquois coiffé de plumes orangées... Pauline se mord le dedans d'une joue pour ne pas éclater de rire. Et dire qu'ils prétendent trouver ça beau!

Jambes légèrement écartées, les mains croisées dans le dos, Pauline poursuit ce premier examen, toujours aussi muette, les yeux constellés de sourires.

Il y a quinze ans, Pauline a vite compris qu'il ne sert à rien de bousculer les jeunes.

Sur une impulsion de jeune professeur qui croit pouvoir réinventer le monde, elle a décidé de s'adapter à leur rythme dérangeant pour se faire accepter d'eux. Le temps lui a donné raison. Il semble bien que sa recette soit la bonne. Et comme elle le prévoyait, peu à peu on se tourne vers elle, le ton des conversations baisse, se transformant en murmure. C'est alors que Pauline fait un pas en avant.

— Bienvenue chez vous.

Un rire étouffé bouscule aussitôt ses quelques mots d'accueil. Pauline repère vite la tête jaune orange, tout au fond de la classe, qui se dresse, arrogante. Sous le toupet ébouriffé, la profondeur de deux beaux yeux noirs se pose sur elle, la détaillant, un brin moqueurs. Pauline soutient leur éclat un instant, descend ensuite de l'estrade et va à la porte qu'elle referme doucement. Et sans s'offusquer de ce bref intermède, elle poursuit, toujours aussi calme, en regagnant sa place:

— Oui, je le répète: bienvenue chez vous. Cette classe est la vôtre et vous en ferez bien ce que vous voudrez. Moi, ça m'importe peu. Ça fait déjà pas mal longtemps que j'ai fini mon secondaire II...

Puis, en s'assoyant:

— Une classe, ce n'est rien. Juste une salle avec des pupitres, des fenêtres, deux tableaux. Un peu comme n'importe quelle maison. Un peu comme chez vous. Ça peut même ressembler à une prison, si vous tenez à le voir comme ça. Un toit, des murs, quelques fenêtres... pas grand-chose, finalement. Quand on y pense comme il faut, c'est ce qu'on veut en faire qui crée la différence. Ou bien on y est heureux, ou bien on s'y ennuie, ou encore on déteste... c'est selon. C'est un peu pour cela que je vous dis que cette classe vous appartient. Vous allez y passer de longues heures pendant les mois à venir, plus que moi qui vais me déplacer pour donner mes cours. Ici, on n'est pas une grande polyvalente. On fonctionne un peu à l'ancienne mode... C'est donc à vous de choisir comment vous désirez y vivre. C'est ce que j'avais à vous dire. Moi, je serai le gardien du phare, rien de plus.

Puis, comme si elle devait le préciser, elle ajoute au bout d'un moment:

— Je n'habite pas à Grande-Baie, mais, en cas de besoin, je reste en classe tous les jours jusqu'à cinq heures. Je vous laisserai mon numéro de téléphone à la maison quand vous quitterez, à quatre heures...

Un silence intrigué succède à ces paroles, dites sur le ton de la constatation. Loin de Pauline l'envie de se montrer moralisatrice ou envahissante. Pourtant, certains visages devant elle se détournent en grimaçant. Encore une autre qui veut leur faire la leçon et s'imposer...

C'est donc elle la «prof» qu'on disait «full chum»? Sur de nombreux haussements d'épaules d'agacement ou d'indifférence, la rumeur reprend, enfle sans tenir compte de la présence de Pauline. On recommence à se balancer sur sa chaise, à s'interpeller. À son tour, Pauline choisit de jouer les indifférentes. Elle se relève en appuyant les deux poings sur le bureau, descend pesamment les marches de la tribune et vient se planter devant la fenêtre la plus proche.

La brillance de la mer est tentante telle une annonce de voyage. Presque une invitation...

Pauline laisse flotter un vague sourire sur son visage. Pourquoi pas?

Comme il n'y a pas de cours prévus en cette première journée de classe, elle se retourne vivement vers les étudiants.

— Est-ce que tout le monde a un lunch pour ce midi ?

Sa question, posée de sa voix grave qui porte bien, interrompt de nouveau les conversations. Un oui majoritaire se fond au decrescendo des voix. Quelques mains se lèvent.

— Moi, je mange à la maison. Pourquoi ?

— Il y en a combien qui mangent habituellement chez eux ?

Cinq mains se dressent au-dessus des têtes.

— Bien. Si quelqu'un vous attend chez vous, vous irez téléphoner à l'heure de la récréation. À la fin des cours, on passera par la « café » pour choisir un repas. C'est moi qui régale. Et si ça vous tente, on pourrait luncher tous ensemble sur la plage et même y passer une partie de l'après-midi. Il me semble qu'il fait trop beau pour rester enfermés. Bien entendu, si ça tente à tout le monde...

Un brouhaha assourdi, des regards qui se concertent avant de se tourner vers le fond de la classe. La tête orangée se redresse. Nul doute que celui-ci est le leader face au groupe. Pauline, sans même avoir remarqué ce jeune l'an dernier, se dit qu'elle aura sûrement à en tenir compte. Mais la chose ne lui fait pas peur. Les fortes têtes se révèlent souvent des alliés de taille avec le temps. L'adolescent, sans pour autant cesser de se balancer sur les pattes arrières de sa chaise, lève un doigt autoritaire.

— Manger? Sur la plage? L'idée a du bon...

Puis, après un regard circulaire autour de lui:

— Okay, on embarque.

— Ben contente de voir que mon idée te plaît, répond Pauline du tac au tac.

Et après un bref silence:

— Au fait, comment c'est que tu t'appelles? J'me souviens pas de t'avoir vu traîner par ici l'an dernier. Pourtant, t'admettras avec moi que tu passes pas inaperçu...

Volontairement, Pauline emploie le même vocabulaire que lui. Et comme pour lui donner raison, quelques rires soulignent ses dernières paroles, pendant que la chaise repose doucement ses pattes sur le plancher. Pendant un moment, le regard perçant caché sous les plumes citrouille brille d'insolence, en détaillant effrontément la grosse femme, surtout à la hauteur de ses seins volumineux. Puis, dans un soupir:

— J'm'appelle Marco. Marco Trudel... L'an passé, j'avais encore les ch'veux longs pis brun plate. Ça doit être pour ça...

— Ah! Me semblait aussi...

Essayant d'ignorer le regard qui persiste à l'examiner, Pauline regagne l'estrade, se glisse derrière la relative intimité que lui procure son pupitre, camouflant ainsi une partie de son embonpoint aux vingt-deux paires d'yeux qui, soudainement, se concentrent sur elle, ne perdant rien de ses généreuses proportions.

Comme si, tout d'un coup, les jeunes venaient de s'apercevoir à quel point elle est grosse...

Merveilleuse température qui l'a obligée à porter une robe pâle! Car, en ce moment, Pauline Ferland sent la sueur lui couler le long des flancs. Cette évaluation de début d'année est pratiquement incontournable et, quand elle se produit, lui fait perdre ses moyens. Purement et simplement. Pourtant, comme si elle était réellement à l'abri derrière le bureau de chêne massif, Pauline se permet un soupir de soulagement. Le temps de quelques bonnes respirations pour se reprendre et elle poursuit d'un ton qu'elle cherche à rendre le plus naturel possible. Feignant n'avoir rien remarqué.

— Bon ! À présent que l'horaire de l'après-midi est décidé, il ne reste plus qu'à expédier tout ce qui était prévu pour la journée. Rien de bien fatigant, vous verrez... Se choisir une place pour les cours de français où je serai votre professeur, puis dresser la liste de vos noms selon ces dernières. Ensuite, aller au magasin chercher les livres et cahiers d'exercices dont vous aurez besoin et, finalement, attendre la visite du directeur qui passera vers onze heures. Dès qu'on en a fini avec les corvées, on part pour la plage... Ça vous va ? Des questions ?

Le sourire qu'elle pose sur la classe n'a rien de forcé. Rien de plus agréable, pour

Pauline Ferland, que ces petits bonheurs improvisés qui pimentent l'inévitable monotonie du quotidien.

* * *

L'avant-midi déboule à toute allure à travers rires et boutades. Chacun cherche à se montrer sous son meilleur jour, sinon Marco qui garde une mine renfrognée sous sa touffe flamboyante. Malgré cela, lui comme les autres examinent la « prof » du coin de l'œil.

Première évaluation de l'année, souvent la plus dure... Mais Pauline n'est pas femme à imposer brutalement les choses, sa seule présence suffisant à créer un obstacle qu'elle doit surmonter invariablement à chaque rentrée. Elle se mêle à leurs rires, essaie de retenir quelques noms, lance à son tour une blague ou deux. À première vue, Pauline Ferland ne semble pas quelqu'un qui aime bousculer, réglementer. Les jeunes, sans le comprendre vraiment, commencent à le pressentir. Comme une forme d'acceptation spontanée. On avisera en temps et lieu.

Chacun est libre de choisir la place qui lui convient. Pauline note les noms, s'attarde à jaser un instant avec ces jeunes qu'elle ne connaît pas encore, mais qu'elle observe avec indulgence.

Ils seront sa famille pour les mois à venir. Alors...

Puis, vers onze heures trente, c'est le départ pour la plage. Un arrêt à la « café » pour ravitailler ceux qui n'ont pas de lunch et, aussitôt après, c'est la ruade vers les lourdes portes de bois sculpté qui donnent sur la cour centrale.

À toute allure, comme une bande de chiens fous, les jeunes dévalent les marches de l'escalier de pierres.

Et comme descendre ce n'est pas monter, Pauline les suit d'un pas guilleret.

Elle n'aime peut-être pas le malaise que la chaleur lui occasionne, mais elle apprécie la sensation de picotement du soleil sur sa peau. Comme le ferait le contact d'une présence amicale. Aujourd'hui, tout spécialement, le soleil est un merveilleux complice, son ardeur légèrement édulcorée par la brise qui monte de la mer pour venir expirer paisiblement sur la plage.

Rapidement, les groupes se forment à la faveur des amitiés existantes. On s'installe à trois ou quatre, puis on ouvre sac et boîtes à lunch. « Orange mécanique » — comme l'a baptisé intérieurement Pauline — est à quelques pas sur sa droite, affalé sur le sol, quelques amis autour de lui et chapardant déjà grignotines et crudités dans les goûters de ses voisins. Le sable est chaud, pailleté de soleil, la mer éblouissante. Une main en visière, les pieds solidement plantés dans le sable, la grosse femme détaille les petits groupes, ne sachant où jeter son dévolu pour partager l'heure de son repas.

Puis sur une impulsion, les yeux vrillés sur Marco et ses amis, elle choisit de ne pas bouger.

Avec un « han » causé par l'effort, elle se laisse à son tour tomber sur le sable, ramène discrètement les jambes sous l'ourlet de sa robe qu'elle porte à mi-mollets.

« Et dire que dans les films les femmes qui s'affalent ainsi sur le sol le font avec une grâce consommée, un rien de provocation languide dans le geste. »

Pauline pousse un profond soupir, tout en ouvrant son sac à goûter en nylon mauve. À sa dernière visite au zoo de Granby, elle avait été obligée d'admettre que sa technique toute personnelle pour s'asseoir par terre s'apparentait étrangement à celle de « mère éléphant ». En observant les efforts balourds du pachyderme, d'un regard découragé mais lucide, elle avait alors préféré en rire. Dans le fond, c'est le résultat qui compte, non ? Et comme le disait si bien sa mère: « Vaut mieux valoir une risée, ma fille, que de ne rien valoir du tout ! » À bien y penser, Pauline admet que ce proverbe d'origine obscure a certains mérites. D'un geste sec, après avoir jeté un dernier coup d'œil attentif à ses jeunes éparpillés sur la plage, elle entrouvre son sac pendant que, tout près d'elle, on entend à mi-voix:

— A' doit ben s'amener cinq, six sandwiches... pis une couple de gâteaux...

Aussitôt, quelques rires fusent, à peine retenus. Sur le coup, Pauline interrompt son geste. La provocation n'est aucunement déguisée et la pique au passage.

Petite égratignure sur la beauté de cette journée.

Mais comme Pauline n'en est pas à une remarque désobligeante près...

Silencieuse, elle referme sèchement son sac, se relève avec le plus d'élégance possible, fait quelques pas vers sa droite et laisse s'épanouir son sourire éblouissant.

— Marco ! Est-ce que je peux me joindre à vous ?

Sans attendre de réponse et encore moins d'invitation, de nouveau, Pauline se laisse choir sur le sol.

— Han !

Puis, elle ramène l'ourlet de sa robe jusque sur ses chevilles.

Un silence gêné suit chacun de ses gestes, quand elle ouvre encore une fois son petit sac de nylon. Alors apparaissent un sandwich au jambon proprement emballé dans une feuille de papier ciré, un jus de légumes et une grappe de raisins verts protégée par un contenant de plastique transparent. Son lunch, qu'elle tient aisément dans une seule main avant de déposer son sac sur le sable, de le lisser du plat de l'autre main pour y étaler son repas. Alors, ramenant le regard sur les mèches crêpées rivalisant de façon surprenante avec le soleil, elle laisse tomber d'une voix candide:

— Quelqu'un veut partager?

Le silence s'incruste davantage entre elle et les jeunes qui sont à ses côtés. Une drôle de fraîcheur qui, dirait-on, filtre l'éclat de ce merveilleux midi.

Pourtant, il fait toujours aussi beau.

Un rire s'élève tout près de l'eau, pendant que trois garçons s'amusent à faire ricocher des galets. Deux voix justes et claires reprennent *a capella* la dernière chanson de Tracy Chapman. Celle qu'on a entendue *ad nauseam* pendant tout l'été à la radio. C'est à ce moment précis que Marco lève son insolence vers Pauline.

— Partager? Non, ça m'dit rien... J'sais pas pourquoi, mais j'ai pus faim...

Un bref instant, Pauline soutient son regard. Puis, se tournant vers les autres:

— Quelqu'un veut des raisins?

— Oui, moi... s'il-te-plaît.

Avec un beau sourire, Sonia, la fille aux cheveux mauves, lui tend la main. Et par ce simple geste, on dirait que les effets d'un sort maléfique viennent de s'effacer subitement. Comme par enchantement. Aussitôt, les conversations reprennent, là où l'arrivée de Pauline les avait interrompues. Seul Marco garde sa mine renfrognée, tamisant le sable dans son poing fermé. Mais Pauline juge que c'est sans importance; le premier pas est fait. À elle de faire en sorte qu'il n'y voit pas de provocation. Le reste viendra bien tout seul. Elle parierait sa fortune. Sans plus s'en faire, elle attaque donc son sandwich à belles dents.

Tout à coup, l'appétit lui est revenu. C'est qu'il fait si beau, aujourd'hui !

En échange des fruits, Pauline a hérité d'un biscuit « fait maison », précise Sonia. Sous sa tignasse déconcertante aux reflets de vendange, l'adolescente dégage une spontanéité qui fait plaisir. Son sourire est franc, direct. « Comme quoi il ne faut pas se fier aux apparences », se dit Pauline en croquant la galette d'avoine qui lui fond rapidement dans la bouche, pendant qu'une autre main se tend vers la grappe de raisins pour en dérober quelques grains.

— Je peux?

— Et comment!

C'est à ce même instant que Marco se redresse. Sans quitter sa réserve agressive, il campe son regard dans celui de Pauline. Il n'a toujours pas ouvert son sac à lunch en papier brun, se contentant de le balancer distraitement du bout des doigts, les coudes appuyés sur ses genoux relevés.

— Pourquoi c'est faire que t'es v'nue t'asseoir avec nous autres?

Et pointant du menton l'immensité de la plage:

— Me semble qu'on n'est pas tous seuls à bouffer icitte...

Pauline prend le temps de finir sa bouchée sans se presser, d'essuyer les commissures de ses lèvres avec deux doigts.

— Pourquoi? C'est bien simple, Marco. C'est parce qu'on fait partie de la même gang, toi pis moi.

La repartie fuse, cinglante.

— La même gang? Toi pis moi? T'es folle ou quoi?

— Marco! Quand même...

La voix de Sonia s'est interposée, sévère,

pendant qu'elle glisse la main sur le bras de son ami. D'un geste sec, le jeune garçon se dégage. Il n'en murmure pas moins:

— Je m'excuse...

Alors Pauline décide de passer outre. Il ne sert à rien de jeter de l'huile sur le feu. Finalement, peut-être bien que la lutte sera plus difficile qu'elle ne le croyait.

Mais comme sa vie de tous les jours est, elle aussi, une lutte constante contre toutes sortes d'insignifiances, le défi ne lui fait pas peur.

Elle choisit plutôt d'emprunter le chemin du rire. Rire d'elle-même et des situations, avant que les autres ne le fassent; c'est une bonne façon de faire tomber les barrières. Pauline l'a appris à son corps défendant. Elle tente donc de donner un ton espiègle à sa voix quand elle explique enfin:

— Ben oui, Marco! La même gang... T'admettras avec moi que, l'un comme l'autre, on passe pas inaperçus! Peut-être pas pour les mêmes raisons, ça je l'admets, n'empêche que partout où on va, on attire les regards. Et je dirais même que la plupart du temps, ils ne sont pas très très gentils... Est-ce que je me trompe?

Pour la première fois ce matin, Marco ose un demi-sourire. Machinalement, il passe une main lente sur le côté de sa tête parfaitement rasée. Puis, il secoue vigoureusement les longues mèches colorées qui séparent son crâne en deux, les yeux rivés dans ceux de Pauline, un éclat malicieux au fond des prunelles.

— Tant qu'à ça...

Un court instant, un drôle de lien unit la grosse femme et son élève. Une complicité entre eux, d'égal à égal.

Le charme est à nouveau rompu par Sonia. Un simple éclat de rire sous ses boucles couleur de vin nouveau. Une cascade moqueuse qui déclenche l'hilarité de ses amis. Alors, le visage redevenu hermétique, Marco ouvre enfin le sac de son repas pendant que Pauline, à son tour, fait joyeusement honneur à la grappe de raisin.

2

Lentement, Pauline Ferland referme la porte de sa classe. Dans le corridor, bruyants, les jeunes se hâtent en se bousculant, pour ne pas rater les autobus qui attendent, cordés serrés tel un rang de poireaux dans la cour secondaire, à l'arrière de l'école. Peu à peu, les cris s'estompent, s'éloignent, se fondant à la pétarade des moteurs qui grondent et crachent avant de s'éparpiller le long de la 132. Puis, c'est le piaillement léger de quelques oiseaux et l'appel colérique d'un goéland qui envahissent la classe.

Pendant un moment, Pauline reste appuyée contre le battant de la porte, les yeux fermés. Elle laisse le silence prendre possession de son esprit, de tout son corps, véritable oasis après cette longue journée. Enfin, un profond soupir de détente gonfle le devant de sa robe.

Ça y est ! C'est fait. La glace est rompue...

L'énergie lui revient à l'instant où elle ouvre les yeux.

Sans hésiter, elle se dirige vers l'armoire du fond, en sort une grande caisse de carton. Sur le côté, le mot « Tide » est soigneusement rayé, remplacé par le mot « POSTERS », écrit en majuscules au feutre vert. D'un geste assuré, Pauline repousse un pupitre et renverse la boîte qui laisse filer sur le sol une douzaine de rouleaux retenus par des élastiques. S'appuyant sur une chaise, Pauline se met péniblement à genoux, rétablit son équilibre d'une main ferme. Puis, à quatre pattes, ses larges fesses coincées entre deux bureaux, elle commence à faire l'inventaire des rouleaux éparpillés sur le plancher. Cet après-midi sur la plage, elle a appris quels étaient les groupes préférés de ses élèves. À elle, maintenant, de décorer la classe.

N'a-t-elle pas dit que cette pièce appartenait aux jeunes ? Il est donc normal qu'elle leur ressemble. Pour Pauline, c'est aussi clair que deux et deux font quatre. Et cela, même si ses confrères ne se gênent pas pour lui dire qu'elle exagère un peu, une pointe de moquerie soutenant la constatation.

Pauline ne se rappelle pas avoir connu de groupe d'élèves se livrant aussi spontanément que ceux d'aujourd'hui. Au moment où elle se relevait en riant, après avoir raconté une des blagues dont elle a le secret, et qu'elle s'apprêtait à quitter Marco et ses amis, un des garçons qui se tenait près de l'eau avait levé la main.

— Hé ! Pouvez-vous venir ici une minute ?

Et sans attendre, à l'instant où Pauline avait tourné la tête vers lui, il avait demandé, d'une voix assez forte pour que tous puissent l'entendre:

— Comment c'est qu'on doit vous appeler ? Pauline ? Madame ? Pis on a-tu le droit de vous tutoyer ?

— Mon nom c'est Pauline, avait banalement constaté l'enseignante en faisant quelques pas vers lui. Ça fait quarante ans que je suis habituée à l'entendre. Alors, si c'est ainsi que vous préférez m'appeler, moi ça ne me dérange pas du tout.

Après un bref silence, elle avait même précisé:

— Pis quand on appelle quelqu'un par

son prénom, c'est qu'on se connaît bien, non ? Ou encore qu'on s'apprécie... Ça fait que si vous voulez me tutoyer, ça non plus, ça ne me dérange pas...

Finalement, dans un éclat de rire:

— Sac à plumes ! Je dirais même que ça me fait plutôt plaisir.

À ces mots, Sonia avait laissé couler son ricanement contagieux.

— Sac à plumes ? Drôle de patois, non ?

Aucune malice dans l'interrogation, sauf, peut-être, simple et saine curiosité. Pourtant, à ces mots, tous les regards s'étaient posés à nouveau sur Pauline, un peu comme ce matin dans la classe, alors qu'elle détournait la tête vers la jeune fille.

— C'est peut-être juste un vieux rêve à moi, avait-elle suggéré de sa voix grave qui n'appelait ni remarque ni riposte.

Sonia avait compris le message et lui avait offert son splendide sourire, de même que le jeune garçon efflanqué qui l'avait interrogée quelques instants plus tôt.

Par la suite, telle une conséquence naturelle de la franchise de Pauline, l'après-midi avait étalé sa bonne humeur à la façon dont on déplie une jolie nappe à carreaux sur l'herbe fraîche, à l'ombre bienfaisante d'un arbre, par une très chaude journée d'été.

Et maintenant, Pauline recherche quelques « posters » à l'effigie des idoles des jeunes de sa classe, le souffle court, accroupie sur le dur plancher de la salle. Malgré tout, elle ne s'attarde pas à la rougeur douloureuse qui marque la rondeur laiteuse de ses genoux.

Elle est à préparer de la joie pour sa « gang » et rien ne pourrait altérer son bonheur.

Elle prend les affiches une à une, les retourne pour déchiffrer le petit morceau de papier bleu collé dans un coin et qui les identifie. Plusieurs rouleaux reprennent aussitôt le chemin de la boîte de carton alors que, dans un geste vif, elle en fait glisser quelques-uns derrière elle. Bob Marley, Jim Morrisson, les Rolling Stones...

— Décidément, j'ai affaire à une bande de « rockers » cette année, constate-t-elle, un sourire amusé au coin des lèvres, une main massant le bas de son dos pendant qu'elle redresse la boîte avant de prendre appui sur le pupitre le plus proche pour se relever.

Une fois debout, elle cambre les reins pour se délier, puis pivote sur elle-même et se penche à nouveau, en grimaçant, afin de récupérer les cinq affiches qu'elle a retenues.

— Et voilà ! lance-t-elle à vive voix. En y ajoutant Kevin Parent, les Colocs et Tracy Chapman, ça devrait aller... Et comme on est jeudi, il faut régler ça dès ce soir.

— Les Colocs ? Tracy Chapman ? Seraistu en train de retomber enfance, Pauline ? Pis, à ce que je vois, t'as pas changé pendant les vacances. Toujours à te parler toute seule...

Concentrée sur son travail, Pauline n'a pas entendu la porte s'ouvrir. La voix claire et taquine de la jeune femme appuyée contre l'embrasure de la porte la fait sursauter, alors qu'elle se retourne vivement. C'est un autre sujet de moquerie, cette manie qu'elle a de toujours parler à voix haute, même quand elle est seule. Pauline a bien essayé de se retenir, ici, à l'école. Mais en vain. C'est plus fort qu'elle. Vingt ans de vie de célibataire ont eu le dessus sur les meilleures intentions du monde et elle n'a pas réussi à se corriger de cette vieille habitude. Alors, faisant contre mauvaise fortune bon cœur, Pauline a pris le parti d'en rire avec ses confrères. De toute manière, c'est bien connu, elle n'en est pas à une moquerie près! Le temps de froncer les sourcils pour se donner une certaine contenance, attitude qui, cependant, ne dupe plus personne, puis la grosse femme dépose les « posters » qu'elle a en main et se dirige vers l'avant de la classe, les bras tendus.

— Rachel! Toi non plus tu n'as pas changé. Toujours à me tomber dessus à l'improviste!

Une bonne accolade unit les deux femmes pour un instant, puis elles lancent d'une même voix:

— Pis ta classe, cette année?

Un long éclat de rire vient buter contre le haut plafond qui le reprend, en écho, pendant que le regard qui va de l'une à l'autre traduit une amitié sincère. De celles qui, contre vents et marées, survivent malgré le temps et les embûches. Rachel est la première à se détacher.

— On prend un café?

— Et comment! J'ai hâte que tu me racontes ton voyage... Vous êtes revenus quand?

Et alors qu'elles regagnent le couloir pour se rendre à la salle des «profs»:

— Germain est en forme?

— Et même plus...

Un sourire énigmatique maquille la réponse de Rachel.

La salle réservée aux enseignants est au deuxième étage, à peu près en dessous de la classe de Pauline. C'est une vaste pièce, probablement une ancienne classe, qui tient lieu de fumoir, de salle de rencontre, de cuisine et de salle à manger. Habituellement, c'est ici que se retrouvent les professeurs sur l'heure du midi et à la fin des cours. Mais, à seize heures quinze, au premier jour de classe, la pièce est déserte. Sans hésiter, Rachel se dirige vers le comptoir où trône une grosse cafetière chromée, sert deux cafés. Un avec lait et sucre, l'autre noir.

— Installe-toi près de la fenêtre. J'arrive avec les cafés.

Pendant quelques instants, les deux

femmes se contentent de souffler sur leur breuvage, de le savourer à petites gorgées prudentes, chacune perdue dans ses pensées. Depuis le temps qu'elles se connaissent, le silence n'est plus une contrainte, ni même une lourdeur. En fait, cela fait plus de dix ans qu'elles ont découvert la présence d'atomes crochus entre elles. Une même façon de voir les jeunes, un même éclat de rire vaguement moqueur devant la vie. Rachel aussi, est un « prof » que les jeunes apprécient. Et en plus, elle est très jolie. À trente-cinq ans, mariée depuis quinze ans et sans enfant, Rachel Courval a gardé cette allure d'adolescente qui plaît tant aux jeunes: cheveux bruns lui tombant dans le dos, taille fine et longues jambes qu'elle ne se gêne surtout pas de dévoiler sous ses minijupes. Elle enseigne la biologie en secondaire III et V.

— Pis le voyage ? À la hauteur de vos attentes ?

Reportant les yeux sur son amie, Pauline a rompu le silence bienfaisant qui se posait en complice entre elles. Rachel lui répond d'un sourire.

— À la hauteur de nos attentes? Comme tu peux pas imaginer. L'Europe, c'est... comment dire? C'est fantastique, merveilleux, extraordinaire. Tu aurais vraiment dû te décider, Pauline, et venir avec nous!

Pour un instant, Pauline se réfugie à l'intérieur d'elle-même. Dieu lui est témoin que ce n'est pas l'envie qui lui manquait. Quel rêve que d'accompagner Rachel et Germain! Voir la France, la Suisse, l'Italie autrement qu'à travers les illustrations du gros *Atlas* qui traîne en permanence sur la table à café de son salon. Mais la seule idée d'avoir à réserver deux places à bord de l'avion avait refroidi son enthousiasme. Elle n'avait pu se résoudre à entreprendre ces démarches. L'humiliation pressentie quand elle devrait s'installer pour les six heures de vol, la peur d'être ridiculisée devant ses amis l'avaient finalement emporté sur ce rêve qu'elle caresse depuis si longtemps. Mais cela, jamais Pauline ne l'aurait avoué. Même à une amie comme Rachel. S'ébrouant, la grosse femme reporte son attention sur sa copine qui n'a pas remarqué la distraction de sa compagne.

— ... On a fait un voyage formidable. Pendant deux mois, j'ai eu l'impression de remonter dans le temps. C'est un peu comme si on m'avait donné la chance de renouer avec mes racines. Surtout en France. Et en même temps...

Rachel s'interrompt volontairement, se permet de prendre une gorgée de café pendant que Pauline, revenue de ses brèves émotions, pose sur elle un regard chargé de curiosité.

— En même temps? En même temps que quoi?

Un court instant, Rachel s'affale contre le dossier de la chaise, sa tasse à deux mains devant elle, les coudes appuyés sur la longue table de réfectoire qui divise la pièce en deux zones distinctes. Le soleil qui décline s'amuse à jouer à saute-mouton avec les feuilles d'un gros érable et sème une multitude de taches lumineuses sur le bois verni, d'un beau blond de miel. La brise qui se faufile par la fenêtre entrouverte est légère comme une caresse.

— Oui, un beau voyage à travers les âges, reprend-elle sans transition. Goûter à notre passé et s'y reconnaître, essayer de deviner nos ancêtres et, en même temps, oser croire en l'avenir... Pauline, je...

Rachel hésite encore un peu. Puis, n'y tenant plus, en se penchant sur la table, elle glisse sur le ton de la confidence:

— Germain et moi, on va enfin avoir un bébé. Te rends-tu compte? On l'a appris à Paris, quelques jours avant notre retour.

— Un... un bébé? Mais c'est merveilleux! Depuis le temps...

Sans la moindre hésitation, Pauline se relève, contourne la table en bousculant quelques chaises, vient jusqu'à Rachel pour la prendre tout contre elle.

Pourtant, en ce moment, si Pauline fait autant de bruit, c'est peut-être pour ne pas entendre son propre cœur qui s'est mis à battre un peu trop fort.

Car, si elle se réjouit pour Rachel, elle sent aussi la pointe acérée d'une grande tristesse qui défigure sa joie. Une autre injustice que la vie, mesquine compagne, lui aurait réservée à elle, Pauline Ferland. Presque une traîtrise. La complicité qui unit les deux femmes saura-t-elle survivre ou s'éteindra-t-elle tout bêtement, au fur et à mesure que le ventre de Rachel va se mettre à grossir ? Sans l'avoir jamais avoué, cette incapacité à concevoir rejoignait les frustrations de Pauline, créant à ses yeux un lien de plus entre son amie et elle. Rachel était peut-être jolie et mariée, mais elle n'avait pas d'enfant, tout comme Pauline était grosse, laide et seule. « À chacune sa croix », se disait-elle parfois quand elle s'attardait à y penser. Pourtant, sincèrement, du plus profond de l'amitié qui l'unit à Rachel, Pauline est heureuse. Bien au-delà de sa déception à elle. Repoussant légèrement son amie, mais laissant tout de même ses mains sur ses épaules, Pauline reprend d'une voix très douce:

— Un petit bébé... Si tu savais à quel point je suis heureuse pour toi, pour vous deux.

Puis, au bout d'un silence tout léger, presque magique dans sa fragilité, elle ajoute, murmure se mêlant au bruissement des feuilles de l'érable:

— Chanceuse...

* * *

Jamais cent trente-cinq kilos ne lui ont semblé si lourds à porter, à déplacer, à soulever. De retour à sa classe, Pauline est aussi rouge que la crête d'un coq. Néanmoins, elle n'a monté qu'un seul étage. Malgré cela, elle a le souffle court. En quittant Rachel, à la porte de la salle des professeurs, elle a dû se retenir pour ne pas éclater en sanglots.

Un gros chagrin d'enfant l'oppressait, aussi imprévu qu'inconsolable.

— Et surtout n'en parle pas... Je... Germain et moi, on tient à garder le secret pour quelque temps encore. On a attendu si longtemps...

Puis dans un sourire éclatant, porteur de toute l'espérance du monde, Rachel avait conclu en serrant la main de Pauline très fort entre les siennes:

— Mais toi, ce n'était pas pareil.

Une dernière accolade avait scellé leur séparation, brisée brusquement par Pauline. Sur un rapide au revoir, elle avait enfilé le long corridor à grandes foulées lourdes.

Et voilà que maintenant, elle essuie les quelques larmes qui ont résisté à sa volonté et qu'elle n'arrive plus à retenir. Cette tristesse insondable qu'elle ne cherche plus à repousser, encore moins à décortiquer parce qu'elle a trop peur de souffrir.

Trop peur de ce qu'elle pourrait y découvrir.

La classe est sombre et fraîche, le soleil s'étant caché derrière la bâtisse du magasin général, de l'autre côté de la rue. Machinalement, Pauline tend la main, cherche à tâtons pour trouver l'interrupteur, fait un peu de clarté, allumant une lumière fluorescente sur deux. Puis, elle pousse un long soupir tremblant, avalant un dernier sanglot. Dire que la journée avait si bien commencé... En ce moment, elle n'est plus du tout certaine qu'elle en gardera un bon souvenir. Pourtant, du fond du cœur, elle est contente pour Rachel et Germain.

— Non, tu n'es pas simplement contente, murmure-t-elle en prenant place derrière son bureau, tu es heureuse, Pauline Ferland. Sois franche... Depuis le temps que Rachel et Germain en rêvent, de ce bébé...

Rappelle-toi toutes les soirées où vous en parliez, tous les trois.

D'un geste las, elle appuie les coudes sur son bureau, cale le menton sur ses mains jointes. En cet instant, elle se retrouve en pensée dans la cuisine verte et blanche de Rachel. Trois cafés fument sur la table et Pauline se fait convaincante en parlant de garder espoir, puisque les examens médicaux ne révélaient rien. La belle affaire... Y croyait-elle vraiment quand elle disait qu'il faut se fier à sa bonne étoile ? Voulait-elle y croire ou n'était-ce là que paroles vaines et illusoires ?

Un soupir amer la ramène directement à sa classe. Tous ces pupitres en droite ligne devant elle, ces deux tableaux noirs, un derrière et l'autre à sa gauche, cette porte vitrée qu'elle a rendu un peu plus discrète en y collant un papier givré. Toutes ces choses qu'elle connaît si bien. Trop bien, peut-être... Est-ce là toute sa vie ?

Et sa bonne étoile à elle, Pauline Ferland, dans quel ciel se cache-t-elle ?

Brusquement, la grosse femme se sent vidée. Mais curieusement, en même temps, elle se sent aussi plus lourde que jamais. L'enthousiasme ressenti il y a une demi-heure à peine s'est volatilisé, dissous dans un vague à l'âme, un mal d'être qui la courtise de plus en plus souvent. C'est que les années passent rapidement, s'enfilant beaucoup trop vite les unes aux autres, sans possibilité de retour. Sans même le moindre droit de riposte devant leur accablante uniformité. Dans moins de trois mois, Pauline Ferland aura quarante et un ans. Elle est toujours aussi grosse. Elle est toujours aussi seule. L'amitié, même de la trempe de celle qui l'unit à Rachel, ne peut suffire pour remplir les espaces blancs d'une vie. Pour combler les vides laissés par de longues nuits solitaires, de nombreux repas silencieux, des fins de semaine interminables. Là, en ce moment bien précis, c'est un grand cri de détresse que Pauline sent monter en elle. Cette pointe brûlante et douloureuse que réserve toujours la jalousie, en même temps qu'elle éprouve une joie réelle et sincère pour Rachel.

Ce déchirement, cette ambivalence en elle lui fait mal à crier. Un peu à l'image d'un deuil. Irrévocable et définitif. Le jour où cet enfant naîtra, probablement que Pauline sera mise de côté. Peu à peu. Insidieusement. C'est si accaparant un bébé. Si exigeant...

Pourtant, Pauline conçoit qu'il est normal qu'il en soit ainsi.

La vie a des droits que nul ne peut lui soustraire. N'empêche que le résultat est facilement prévisible: la grosse Pauline sera encore un peu plus seule. Et cela lui fait peur. Terriblement peur.

Spontanément, ses mains se sont refermées sur son ventre, pressant les chairs molles d'un mouvement convulsif.

L'appel d'un klaxon et le crissement de pneus sur la chaussée la font sursauter. Pauline promène un regard vide autour d'elle, reprenant contact avec la réalité. D'un haussement d'épaules, elle ramène le désespoir ressenti à sa juste dimension.

Ce ne sont pas ses pauvres petites émotions qui vont empêcher la terre de tourner.

En soupirant, Pauline repose les mains sur son bureau, les fixe longuement, faisant jouer machinalement l'alliance de sa mère qu'elle porte à l'annulaire droit. Elle a de jolies mains, curieusement longues et fines, pas potelées pour deux sous. L'image fait naître le reflet d'un sourire dans son visage. Puis, elle redresse la tête. Dans le coin arrière de la classe, quelques pupitres de guingois, cinq affiches toujours enroulées sur elles-mêmes et qui ont glissé sur le sol lui rappellent ce qu'elle s'était promis de faire. En soupirant de nouveau, elle se relève, descend lourdement de l'estrade, vient jusqu'à la fenêtre pour la refermer.

— Suffit pour aujourd'hui, les pensées sombres, Pauline Ferland, maugrée-t-elle en se retournant. De toute façon, tu n'as aucune raison de te morfondre comme tu le fais. Qu'est-ce que cette nouvelle peut bien changer à ta vie, sinon que t'auras un petit trésor à gâter... Sac à plumes! C'est la plus belle chose qui pouvait arriver à Rachel. Un bébé... un petit bébé comme elle l'espérait tant...

L'ombre d'un sourire ému traverse son regard.

— Ça prouve seulement que tu avais raison: il faut toujours garder espoir... Ne l'oublie surtout pas. Allez, ma fille, secoue tes puces ! Si tu te donnais la peine de regarder un peu plus loin que le bout de ton nez, tu verrais que la vie réserve toujours d'agréables surprises à ceux qui lui font confiance... et cette journée en est la preuve. Pour toi comme pour les autres.

Le souvenir d'un sourire franc et direct sous une cascade de cheveux mauves achève de la réconforter.

— Oui, une bien belle journée...

En se dirigeant vers le fond de la classe, Pauline a retrouvé son allant. Vingt-deux jeunes vont partager sa vie et ses pensées pour les dix prochains mois. Elle n'a surtout pas le droit de les négliger.

Seule une traînée blanche sur sa joue, oubliée par une larme involontaire, rappelle un bref moment d'égarement. Mais, cela, personne n'a besoin de le savoir. Pour tous et depuis toujours, Pauline Ferland est une femme à la bonne humeur inaltérable.

Une bonne grosse souriante au sens de l'humour et de la repartie imbattables !

* * *

Récupérer l'escabeau dans le vaste fourre-tout au bout du couloir, dénicher un vieux restant de gommette au fond d'un tiroir, le pétrir pendant un bon moment pour lui redonner sa souplesse, monter et descendre un nombre incalculable de fois, se reculer et examiner les murs d'un œil critique, les paupières à demi fermées, ajuster et réexaminer le tout avec l'état d'esprit d'un conservateur de musée... Néanmoins, au bout d'une heure, Pauline a accroché les cinq « posters » qui devraient plaire à ses jeunes. Tous très colorés, ils ont camouflé les taches claires laissées au fil des années, donnant une note joyeuse à l'austérité des vieux murs lézardés d'un beige navrant. Revenant à l'avant de la classe, Pauline scrute le mur du fond, les sourcils froncés.

Puis, un large sourire détend ses traits.

— Finalement, admet-elle à vive voix, j'aime mieux la « bette » de Jim Morrisson que celle de Céline Dion. Pas mal mieux !

Au mois de juin précédent, c'est avec un réel soulagement qu'elle avait expédié la belle Céline au fond de sa boîte, dans le placard. Même si l'affiche avait valsé sur à peu près tous les murs de la classe, le sourire figé de la jeune chanteuse finissait toujours par la rejoindre, lui renvoyant en plein visage, chaque matin que le bon Dieu amenait, sa jeunesse, son assurance et sa minceur. Un vrai cauchemar pour Pauline qui, en fin d'année, grinçait des dents à chaque fois qu'elle butait sur le portrait. En réaction, de tout l'été, elle n'a pas écouté le dernier disque de Céline, qu'autrement elle aime bien comme chanteuse.

— Enfantin, se disait-elle quand, machinalement, sa main se tendait vers le CD pour aussitôt avorter son geste.

Invariablement, elle s'obligeait à laisser le disque en place dans le classeur, une moue déterminée au coin des lèvres. N'empêche qu'elle en ressentait comme une victoire sur la chanteuse. Bien mince compensation à sa frustration, mais compensation tout de même. Une espèce de vengeance morale qui faisait du bien.

— Oui, décidément, lance-t-elle en parcourant des yeux les murs de la classe une dernière fois, le sourire de Mick Jagger est pas mal moins agressant... Pis lui aussi, il n'est pas si beau que ça...

Et dans un merveilleux éclat de rire, imaginant une photo immense, plus grande que nature, juste là, devant elle:

— Je ne sais pas si les jeunes verraient d'un bon œil la présence de Ginette Reno sur un des murs de leur classe, fait-elle malicieuse. Pourtant, Ginette Reno dans la classe de Pauline Ferland. Ça aurait au moins la particularité de faire rire les curieux...

Le temps de remettre en place les quelques pupitres qu'elle a déplacés et Pauline pourra s'en aller. Il est près de dix-huit heures, mais cette modification à son horaire n'est pas pour lui déplaire. D'autant plus que ce soir, il n'est pas question de retourner chez elle.

— Direction Gaspé, marmonne-t-elle entre ses dents en éteignant derrière elle. Ce soir, c'est l'opération « Poster » !

Le couloir de bois foncé est déjà sombre. À chaque extrémité du corridor, les deux lumières rouges indiquant les escaliers et la sortie dessinent des ombres fantastiques aux murs et, devant elle, sur le plancher, sa silhouette est immense. Gamine, Pauline esquisse un petit pas de côté pour entendre gémir la planche disjointe devant la porte de la classe de Raoul, ce célibataire incorrigible qu'elle connaît depuis toujours. Une façon toute personnelle de se faire confirmer hors de tout doute que l'année scolaire est bel et bien commencée. Le cœur léger, elle allonge le pas comme un enfant qui tenterait de rattraper son ombre, pour rejoindre le haut de l'escalier.

— Les escaliers auraient dû être inventés uniquement pour descendre, lance-t-elle pour la nième fois en agrippant la rampe et en dévalant les marches d'un pied aérien. Et les directeurs d'école devraient admettre cette vérité le jour de leur nomination. Ce devrait même être un automatisme chez eux... Sac à plumes! Il existe pourtant une invention moderne qu'on appelle ascenseur, il me semble.

Mais Jocelyn Lacroix, aussi gentil soit-il, est un ancien professeur d'éducation physique. Alors, pour ce qui est des ascenseurs...

— Disons, pour être polie, que ce n'est pas sa première préoccupation...

Dans le stationnement, il ne reste plus que trois voitures: le coupé du directeur, justement; l'immense paquebot de Pauline, une Chrysler de quelques années et la vieille Falcon jaune malade de monsieur Giroux, concierge et surveillant de soir à l'école secondaire de Grande-Baie, en Gaspésie. Un veuf taciturne, incroyablement maigre, avec qui Pauline n'a jamais réussi à créer de liens, même si elle s'oblige parfois à venir le saluer avant de quitter l'école.

Probablement que l'allure de poulet déplumé du sexagénaire y est pour quelque chose.

Pauline ne le sait pas. Elle n'a jamais cherché à approfondir la question et n'a nullement l'intention de le faire. Elle a d'autres priorités dans la vie.

Tout en cherchant ses clés, elle ne peut s'empêcher de regarder la Mustang noire du directeur, garée en diagonale de la sienne, avec convoitise, une moue de déception au coin des lèvres. C'est un vieux rêve à elle que de posséder une de ces petites voitures sport, décapotables. Faites, lui semble-t-il, uniquement pour rouler sans but, dans une liberté totale! Sans enfant et avec un revenu confortable, la chose aurait dû être possible. Pourtant...

Elle ramène les yeux sur la portière de sa propre auto, y insère la clé en soupirant. La projection d'elle-même, roulant cheveux au vent dans une rutilante petite voiture rouge, ne résiste pas à l'effort qu'elle doit déployer pour se glisser derrière le volant, même si celui-ci est ajustable. L'illusion de quelques instants éclate comme une vulgaire bulle de savon.

— Avez-vous déjà essayé de faire entrer une baleine dans une deux chevaux? demande-t-elle dépitée en lançant le moteur. Pour que Pauline Ferland puisse acheter une auto sport et surtout la conduire, il faudrait lui fournir un ouvre-boîtes avec!

L'image qui lui vient à l'esprit est si drôle, qu'elle se décide d'en rire.

En tournant à sa droite sur la 132, elle ne pense plus qu'à la soirée qui vient. Trouver les affiches, peut-être une ou deux cassettes de Tracy Chapman et Kevin Parent qu'elle ne connaît pas vraiment et qu'elle aimerait découvrir.

Mais d'abord et avant tout, elle doit manger !

Son petit sandwich du midi étant déjà passablement loin, Pauline meurt de faim. Et pour se préparer à ce repas, elle a trente minutes de route devant elle.

Trente minutes de pur plaisir, car elle se dirige vers Gaspé.

Pour le commun des mortels, Gaspé ne serait qu'une petite ville administrative sans grand intérêt. Pour Pauline, c'est plus souvent qu'autrement un lieu de félicité. Exactement comme maintenant, car, depuis plus d'une heure, elle sait qu'elle va succomber à la tentation. Et, pour se le confirmer, elle déclare, un brin emphatique, prenant son volant à témoin:

— Pauline, ce soir, on se paye la traite ! Tu l'as bien mérité...

Et quoi de mieux qu'un bon hamburger — deux peut-être, non ? —, une grosse portion de frites et un cola bien glacé, dégustés lentement, en toute quiétude et en toute clandestinité ?

Pour Pauline, c'est incomparable ! Parce que pour une femme telle la grosse Ferland, comme elle l'entend souvent dans son dos, le temps d'un repas lui procure la brève mais bien réelle impression d'être comme tout le monde.

Dans ces moments-là, seule, loin de chez elle, malgré les inévitables regards qui se posent sur Pauline, la culpabilité n'a aucune emprise sur le plaisir éprouvé.

D'un haussement d'épaules, Pauline fait mourir l'apparition accablante des regards inquisiteurs qui suivent chacun de ses gestes quand elle met les pieds dans un McDo. Dans son esprit, ils prennent à chaque fois l'allure de reproches sévères et d'index pointés vers elle. Mais incognito, dans une ville où elle n'est pas connue, elle arrive à faire abstraction de ces considérations désagréables qu'elle peut lire dans les visages croisés.

— Comme si les grosses n'avaient pas le droit d'aimer le « fast food », constate-t-elle avec colère. Ridicule ! Complètement ridicule !

N'empêche qu'elle ne s'offre ce plaisir anodin uniquement lorsqu'elle est loin de chez elle et qu'elle peut se permettre de faire étalage d'un mépris souverain face aux réprobations qu'on ne se gène surtout pas d'afficher.

Cela doit faire au moins vingt ans qu'elle n'est pas retournée chez *Miville*, pourtant situé à deux pas de chez elle, où cuisent les meilleurs hamburgers du monde !

Mais finalement, comme le plaisir anticipé a, lui aussi, belle contenance, elle a appris à profiter de la route qu'elle s'oblige à parcourir quand la fringale d'un bon gueuleton à l'américaine s'impose à elle. Une façon comme une autre de faire durer un plaisir qu'elle ne s'offre que rarement.

Ainsi donc, pendant la demi-heure qui suit, elle se lance dans l'étude comparative et gourmande sur les bienfaits d'un Big Mac, d'un Mac Poulet et du nouveau Arch Deluxe qu'elle a vu tant de fois en réclame à la télévision, mais qu'elle n'a jamais eu l'occasion de goûter.

Le choix est difficile.

Toutefois, après quelques grimaces et

minauderies, elle lance avec ferveur :

— Tout nouveau, tout beau ! Allons-y pour le Arch Deluxe avec bacon !

Et après une moue sévère qui se transforme rapidement et radicalement en sourire d'indulgence, elle poursuit :

— Et si je changeais les frites pour une poutine ? Juste pour une fois... Pourquoi pas ? On ne commence pas une nouvelle année tous les jours !

C'est en chantonnant qu'elle traverse enfin le pont enjambant la baie de Gaspé. Juste devant, de l'autre côté de l'eau, l'affiche lumineuse jaune et rouge du grand « M » la fait presque saliver par anticipation.

* * *

À dix-huit heures trente, l'achalandage du repas est déjà chose du passé et seuls quelques clients sont encore attablés.

Avec un peu de chance, Pauline Ferland devrait passer inaperçue.

D'un pas nonchalant, elle se dirige vers le seul comptoir encore ouvert et, une pointe de désinvolture calculée dans le ton, elle passe sa commande, s'obligeant à garder les yeux fixés sur le menu affiché au-dessus de la tête du jeune serveur, comme si elle ne le connaissait pas, alors qu'elle pourrait le réciter de mémoire! Ce qu'elle ne veut pas admettre, c'est qu'elle n'a surtout pas envie de croiser un regard désobligeant. La sérénité qu'elle ressent actuellement est encore trop fragile.

— Le trio Arch Deluxe avec bacon.

— Et comme breuvage?

— Oh... Un cola, avec glace...

Et comme si elle n'arrivait pas à retenir les mots, elle ajoute précipitamment:

— Pis rajoutez donc une soupe poulet et nouilles avec ça... Et deux paquets de biscuits soda avec du beurre, s'il-vous-plaît...

Pauline se tait enfin, à bout de souffle. Ne pouvant rester le nez en l'air indéfiniment, la commande étant passée, elle finit par se résoudre et penche la tête vers le jeune qui achève de «pitonner» sur son clavier. Au lieu de l'éclat de réprobation moqueuse qu'elle anticipait, ce dernier lui renvoie un sourire indifférent. Pour un peu, Pauline aurait envie de l'embrasser, tellement la vie lui semble tout à coup merveilleuse. Sans complexes, sans pudeur, sans contraintes d'aucune sorte. L'effet salutaire d'une bonne brise balayant un ciel nuageux et permettant au soleil de montrer l'un de ses rayons.

— Un dessert avec ça?

Béatement soulagée, la grosse femme se paie la jouissance un peu puérile d'hésiter. Elle laisse flotter une moue d'indécision.

— Je verrai plus tard...

Pourtant elle sait très bien que l'appétit va suivre — il suit toujours! — et qu'elle va s'offrir un gros sundae au caramel avec des biscuits. Plus un bon café pour couronner le tout. Avec crème et sucre...

Heureusement, comme il n'y a pas cohue dans le restaurant, Pauline a l'embarras du choix pour se trouver une place. Sans attendre, elle se dirige vers la banquette du fond, un sourire de moquerie au fond des prunelles.

Toutes les fois qu'elle vient ici, elle repense à son dernier voyage à Québec, s'imagine facilement se dandinant, le plateau à bout de bras, obstruant inévitablement l'allée et étirant le cou dans tous les sens à la recherche d'une place convenable. Malheureusement pour elle, il y avait foule sur la rue St-Jean, ce jour-là. On était en plein Festival d'été ! Elle n'avait donc pas eu le choix de se coincer tant bien que mal sur une de ces ridicules petites chaises pivotantes, probablement conçues par un lilliputien ! Mal à l'aise, le ventre scié par le bord de la table en simili marbre, persuadée que le banc allait subitement et très bruyamment céder sous son poids, elle avait avalé son repas à toute vitesse sans prendre le temps d'en profiter. Accablée, elle s'appuyait sur la chaise du bout de la fesse droite, pour en changer, quelques instants plus tard, et s'appuyer du bout de la fesse gauche.

Un vrai cauchemar !

À chaque fois qu'elle variait sa position, c'est tout l'ensemble monocoque de la table et des quatre bancs qui tanguait avec elle, provoquant trois regards insensibles et cinglants qui détaillaient froidement sa généreuse personne avant d'attaquer férocement son plateau débordant.

Comme si elle le faisait exprès ! Jamais Big Mac n'avait été si difficile à digérer !

Mais ce soir, elle ne sera pas obligée de prendre ses bouchées toutes rondes. Il n'est que dix-huit heures trente, les magasins ferment à vingt et une heures et personne ne l'attend. Aujourd'hui, elle aurait presque envie de dire que le célibat a ses bons côtés.

Personne pour la bousculer, pour contrecarrer ses projets, pour décider de ses horaires. Néanmoins, elle s'oblige à faire le vide en elle. Pauline Ferland sait fort bien que si elle s'aventure sur cette pente glissante, elle risque de perdre le contrôle une fois de plus, les mauvais côtés de sa vie de solitaire l'emportant généralement haut la main sur les avantages. Elle se concentre donc sur son repas. C'est une excellente façon d'étirer le temps, tout en l'occupant on ne peut plus agréablement. Tout le monde sait cela.

Et puis, la soupe est tellement bonne, un coin de biscuit soda trempé dans le bouillon...

C'est au moment où elle prend une première bouchée gourmande dans son hamburger que Pauline prend conscience qu'elle a finalement oublié de faire changer la portion de frites pour une poutine.

— Merde, fait-elle à mi-voix, déçue.

Elle se soulève, hésite, puis se rassoit, franchement dépitée.

Une femme comme Pauline Ferland ne peut se relever pour commander une poutine.

Elle se connaît trop bien. Jamais elle ne serait capable de se contenter de faire l'échange. Comme sa mère l'a toujours dit: «On ne doit pas gaspiller de nourriture, Pauline! C'est une question de principes.» Et Pauline est une femme de principes! Alors, elle mangerait et la frite et la poutine. Purement et simplement. Malgré cette certitude, l'envie la fait hésiter encore un moment. C'est qu'elle ne vient pas ici très souvent. Et elle l'a déjà souligné: ce n'est pas jour de rentrée tous les jours... Mais lorsqu'elle vient pour se relever, décidée à profiter de sa sortie au maximum, sans raison véritable, l'image d'une petite décapotable rouge, conduite par une jeune femme qui ressemble étrangement à Rachel, lui traverse l'esprit. En soupirant, Pauline se cale sur la banquette.

La décision vient de s'imposer d'elle-même.

— Tant pis, soupire-t-elle en attrapant l'enveloppe de ketchup. Ce sera pour une autre fois.

D'un coup de dents précis, elle déchire un coin du petit sachet blanc.

C'est au moment où elle est à récupérer les dernières graines de frites au fond du cornet de carton rouge, admettant qu'elles n'étaient finalement pas si mal, même suffisamment croquantes pour faire oublier la poutine, que Pauline entend son nom traverser la salle du restaurant. Interdite, elle ne lève pas la tête immédiatement. De quel droit vient-on la déranger ? Elle était bien, en tête à tête avec elle-même, philosophant sur les différentes manières d'apprêter les pommes de terre...

— Pauline !

Encore !

À nouveau, son nom retentit. Elle ne peut plus se dérober. Alors, elle détourne la tête en retenant un soupir de contrariété. Rien ne l'incommode plus que de se voir prise en flagrant délit. Pour Pauline, cet appel amical est presque une agression. Tout à coup, elle se sent coupable d'être là, coupable de manger... Mais dès qu'elle croise le regard de Gabriel Vignaut, un large sourire efface la ride de mécontentement qui rapprochait ses sourcils. Son plateau en main, il se tient, hésitant, à quelques pas d'elle, un sourire timide au coin des lèvres.

— Gabriel ! Quelle belle surprise. Mais assieds-toi, voyons.

— Je ne voudrais pas te déranger.

Pauline éclate d'un rire espiègle.

— Toi, me déranger ? Mais depuis quand ? Allez ! Viens. Ça fait une éternité ! Installe-toi pendant que je vais me chercher un dessert...

Pendant un moment, Pauline et Gabriel se contentent de manger en silence. De temps en temps, deux sourires glissent au-dessus du sundae et des croquettes pour se rencontrer au beau milieu de la table. Puis, les têtes se penchent, chacune vers son assiette.

Pour Gabriel, l'attitude est normale: il n'a jamais été très loquace.

Mais pour Pauline, le boute-en-train, la

chose est plutôt inhabituelle. Toutefois, c'est exactement ce qui est en train de se produire. Brusquement, elle est à court de mots. Comme si de se voir face à lui après l'avoir espéré en vain durant des mois, suffisait à la rendre muette. Du coin de l'œil, elle l'observe, remarque les rides de l'inquiétude qui creusent son front et celles de l'amertume qui soulignent durement sa bouche. Ses cheveux, autrefois châtains, sont maintenant poivre et sel. Que dire pour entamer le dialogue? Où sont passées toutes les belles phrases de réconfort qu'elle se répétait quand parfois sa route du matin croisait celle de son voisin? Combien de fois s'est-elle imaginée, assise auprès de Gabriel se confiant à elle qui n'avait que mots d'encouragement à son égard?

«On ne provoque pas les confidences, n'est-ce pas Pauline? Tu l'as répété assez souvent...»

Mais, en attendant, elle reste figée, mangeant un ridicule sundae au caramel, alors que l'occasion qu'elle espérait tant est à portée de main. Elle se décide tout d'un coup:

— Qu'est-ce que tu es venu faire à Gaspé?

Banalité qui n'engage à rien. Seule question possible entre eux. Pauline ne pouvait décemment parler du moratoire sur la pêche à la morue et encore moins de sa récente séparation. Gabriel lève la tête vers elle.

— Oh! Pas grand-chose, finalement. Juste voir s'il n'y aurait pas d'embauche au centre de pisciculture.

— Hé! Mais c'est une bonne idée, ça. Pis?

— Bof! une réponse polie qui veut rien dire.

Et après une brève hésitation:

— Au moins, ça aura fait passer une partie de la journée.

— Gabriel Vignaut! Cela ne te ressemble pas de parler comme ça.

Pauline a relevé la tête, vivement, un éclat farouche dans le regard, la franchise de leurs discussions d'enfants lui revenant tout à coup spontanément. Pour aussitôt le regretter.

Pauvre homme! Comment peut-il

occuper ses journées, à présent que la seule chose qu'il connaît lui est interdite ? Pauline se met à rougir. C'est bien elle, ça ! Gabriel vient à peine d'entrouvrir la porte des confidences que, par son franc parler, Pauline lui donne toutes les raisons possibles et impossibles d'avoir envie de la refermer. Pourtant, sa remarque a fait naître un pâle sourire. Pendant un instant, Gabriel la regarde droit dans les yeux. Et Pauline, émue, retrouve cette attitude qu'il avait tout jeune quand ils se « disaient des secrets ». Il a ce même regard couleur d'océan, plein de confiance. Le charme, cependant, ne dure que le temps d'un battement de paupières. Gabriel ravale très vite son sourire et penche la tête, concentrant ses gestes sur le coin de sa serviette de table.

— Ma pauvre Pauline ! Qu'est-ce que tu veux que je fasse d'autre ?

Pour lui, la situation est irréversible et d'une évidence criante. D'une main tremblante, il déchire maintenant sa serviette en tous petits morceaux. Le geste va droit au cœur de Pauline. Toute la détresse du monde contenue dans cette main d'homme large et forte, façonnée par les durs labeurs de la pêche, condamnée à triturer nerveusement un vulgaire bout de papier. Elle voudrait tant l'aider ! Trouver en elle toutes ces belles phrases qu'elle admire et envie quand elles viennent de la bouche des personnages de ses téléromans. Même elle, Pauline, trouve des envolées exceptionnelles quand elle s'invente des histoires, le soir, seule dans son lit, lorsque le sommeil se fait capricieux. Mais présentement, c'est le vide dans son esprit. Intégral et irréversible. Un grand trou noir et vertigineux, angoissant et insupportable, soutenu par l'envie de tendre la main pour toucher le bras de Gabriel.

Dans tout son être, il n'y a que cette envie qui existe et rien d'autre.

Pauline doit se faire violence pour ramener sa pensée à ce que Gabriel vient de lui dire.

— Je ne sais pas, moi... Retourner aux études, peut-être ?

C'est la seule chose qu'elle a trouvée à suggérer. Mais en prononçant ces mots, elle sait déjà qu'elle fait fausse route. Elle se sent ridicule, surtout lorsqu'elle entend Gabriel repousser brutalement son plateau.

— Aux études, moi ?

Un rire amer souligne la réponse de Gabriel.

— Aurais-tu oublié que j'ai laissé l'école à quatorze ans, Pauline ? Si tu sais compter, tu vas voir que ça fait un bail. Dans pas longtemps, j'vais avoir quarante et un ans... Comme toi, si j'me rappelle bien. C'est pas des farces... On r'tourne pas user son fond de culotte sur des bancs d'école à mon âge.

Pauline demeure un moment silencieuse, n'osant lever le front. À cause de cette spirale de vent stérile qui tourbillonne dans sa tête, lui laissant la bouche sèche et l'esprit vide. C'est vrai qu'il n'a jamais aimé l'école, même tout petit. Elle entend Gabriel qui renifle en empilant les cartons vides sur son plateau. Alors, plutôt que de ne rien dire et de le voir partir sans plus, elle s'enferre sur son idée, la pousse encore un peu plus loin. Tant pis. Tout ce qu'elle veut, présentement, c'est étirer le temps, le retenir davantage.

— Pourquoi pas? Aujourd'hui, avec la formation aux adul...

— Laisse tomber, Pauline. C'est sûrement pas toi, à soir, qui vas v'nir changer mon idée.

Et cette fois-ci, malgré la réserve naturelle de l'homme, le ton est sans réplique. Le regard hermétique et dur que Gabriel pose sur Pauline est éloquent: la porte des confidences vient de se refermer. À double tour.

* * *

Quand elle quitte finalement le restaurant, une vingtaine de minutes plus tard, Pauline tente tant bien que mal de ravaler la grosse boule d'émotion qui lui encombre la gorge. Que des mots vides entre Gabriel et elle, après qu'elle eut compris qu'elle n'avait pas le droit d'insister. Une vague promesse de se revoir et Gabriel avait filé.

— Il faut que je rentre. Les enfants m'attendent...

En reprenant le volant, Pauline renifle de dépit, de rage contre elle-même, même si pleurer deux fois dans la même journée ne lui ressemble pas.

Malgré tout, elle n'a pas le courage de repousser les larmes. Les mains sur le volant, le front appuyé sur les poignets, elle laisse couler sa tristesse, sa colère ou sa frustration. Dans le fond, elle ne sait plus trop bien pourquoi elle pleure.

En elle, il n'y a que la douleur qu'elle s'est obligée de retenir tout à l'heure et celle de maintenant. Une douleur viscérale, envahissante à couper le souffle, à détruire toute pensée cohérente.

La noirceur est tombée et, douce compagne, la nuit se fait complice de ses pleurs.

De durs sanglots secouent ses épaules.

Jamais Pauline ne s'est sentie aussi idiote, aussi ridicule, aussi grosse, aussi insignifiante.

D'un geste rageur, elle essuie son visage, cherche un « kleenex » dans son sac, se mouche bruyamment.

Puis elle déplace le rétroviseur, tout en allumant la lampe de courtoisie, et fixe longuement le visage que lui renvoie la pénombre.

Un nez écarlate, des paupières gonflées, un teint blafard plaqué de rouge sur les pommettes, des lèvres cireuses, les couleurs du matin n'étant plus qu'un vague souvenir.

— Maudite grosse face laide... Comment veux-tu qu'on te prenne au sérieux?

D'un mouvement impulsif, Pauline attrape ses joues à pleine main, se met à les secouer brutalement comme si elle méritait la douleur qu'elle s'inflige. La brutalité du geste permettra peut-être à sa rage de s'extérioriser avant de s'éteindre.

Deux larmes brûlantes viennent mouiller le bout de ses doigts. Les mains se détendent, restent chaudes et inertes sur l'arrondi du visage inondé. Tout est de sa faute. Tout est toujours de sa faute. Si elle était mince et belle, aussi, sûrement qu'elle aurait trouvé les bons mots pour Gabriel. Comme elle aurait gardé ses amies, comme elle serait mariée... Quelle évidence!

Les jolies femmes savent toujours ce qu'il faut dire pour susciter les amitiés, les amours. Elles sont si sûres d'elles, dans leur attirance!

La beauté est un aimant qui attire à elle les amitiés. Quand on est jolie, c'est amplement suffisant pour que les gens portent attention à ce que l'on dit. Pour que l'on porte attention à soi.

Alors que pour Pauline...

Brusquement, elle a la certitude que si elle n'achetait pas les gens qui la côtoient, elle serait infiniment plus seule. Elle revoit les différentes affiches qu'elle recherche attentivement à chaque début d'année. Et aussi toutes ces petites choses qu'elle offre à l'anniversaire de ses confrères... Est-elle vraiment sincère lorsqu'elle a ces marques d'amitié et d'affection ou n'est-ce qu'un cri de détresse, une compensation à sa solitude ?

Longuement, Pauline regarde le visage trop rond que la glace lui présente brutalement. Non, c'est vrai, elle ne le trouve pas beau ce visage. Comment les autres sauraient-ils l'aimer ? Une grosse larme roule sur sa paupière, pour finalement rester accrochée à ses cils, suspendue dans le vide.

Un peu comme Pauline, qui a l'impression de vivre suspendue à sa vie...

Puis, la larme finit par se détacher, glisse lentement sur sa joue. Du bout des doigts,

Pauline en suit le parcours, pour venir la cueillir de son index et l'essuyer au revers de sa veste. Le geste est maintenant plein de douceur. Envers elle-même. Non, Pauline n'achète pas l'affection des gens. Elle adore faire plaisir, tout simplement. Du plus loin qu'elle se rappelle, Pauline a toujours aimé offrir des cadeaux. Encore plus que d'en recevoir. C'est son droit. Tout comme ces quelques larmes lui appartiennent. Car pour Pauline, la grosse femme laide, il n'y a que les larmes qui peuvent parfois parler. Qui peuvent aider à se libérer du trop-plein d'émotion. Juste pour elle, en silence. Il n'y a jamais de témoin à sa tristesse, encore moins d'épaules complices à qui confier sa peine.

Ça ne fait pas sérieux, une grosse femme joviale qui pleure. Un peu comme un clown triste, ça dérange.

Alors, elle pleure seule. Ayant appris avec le temps que les larmes de douleur sont aussi des larmes de réconfort, disant à leur façon la détresse d'une vie solitaire, le rejet de l'image qu'elle projette. Qui apportent un peu de paix après leur passage...

Malgré tout, les chagrins à l'état pur ne durent jamais longtemps avec Pauline. Elle n'a pas le choix, si elle veut survivre. Elle les accepte, les vit au présent, ne s'y attarde jamais. Alors, peu à peu, les larmes s'éloignent, avant de tarir complètement. Un dernier sanglot, un long moment à se moucher consciencieusement, puis à attendre que les rougeurs quittent son visage. Quand elle est enfin prête à partir, il est près de vingt heures. Un dernier soupir, une tête qui se secoue pour étourdir les idées et la voilà lancée.

— Dépêche, Pauline. Les magasins n'attendront pas après toi pour fermer.

Curieusement, alors qu'elle se range à droite pour rejoindre le centre commercial, c'est une tignasse ébouriffée, jaune soleil, qui éclate de toutes ses couleurs dans sa tête et dans son cœur, lui arrachant finalement un tout petit sourire. Marco... Peut-être bien, après tout, que c'est sa façon à lui d'appeler à l'aide. Pourquoi pas? À cette pensée, Pauline se sent le cœur un peu moins lourd. Si l'adolescent a besoin de quelqu'un, il vient de croiser la route de celle qui n'a d'autre but dans la vie que celui d'aimer les jeunes qui lui sont confiés, le temps d'une année scolaire. Ne jamais l'oublier. Jamais. Il y a ses élèves et c'est suffisant pour justifier une vie. Sa vie. Cela fait près de vingt ans, maintenant, qu'elle a réussi à s'en convaincre.

3

— Tracy Chapman et Kevin Parent? Ben sûr que j'ai des disques et des cassettes... Suivez-moi.

Aussitôt dit, aussitôt fait. D'un pas autoritaire, la jeune vendeuse se glisse entre Pauline et le comptoir pour l'entraîner à sa suite à travers le dédale des allées. Un arrêt devant le comptoir du rock anglophone, puis un autre devant celui du rock francophone.

— C'est pour vous?

— Non, pas vraiment...

Pourtant, en disant ces mots, Pauline a la conviction profonde que sa réponse n'a aucune espèce d'importance. Cette jeune fille blonde à la voix et à la démarche agressives est une vendeuse dans l'âme. Cela se voit. Elle dévisage la grosse femme un moment, lui jette un sourire «Colgate», bref mais éblouissant, puis elle enchaîne aussitôt, la remorquant maintenant dans l'autre sens des allées, en direction de la caisse:

— De toute façon, c'est un bon choix, si vous aimez ce genre de musique...

Elle s'arrête enfin un instant, se retourne, ajuste son sourire à la situation, un rien de compérage dans l'attitude.

— Mais, je vous regarde ! C'est sûrement pour vos enfants.

C'est au tour de Pauline d'esquisser un drôle de sourire.

— Mes enfants ? Si on veut...

— Me semblait aussi... Ils vont adorer Kevin Parent. Tous les jeunes l'aiment. Surtout que c'est un gars de la péninsule... Dans le bout de Carleton, je crois, précise la jeune fille en regagnant sa place derrière la caisse.

— Ah oui ! Alors ça va peut-être m'aider à apprécier sa musique... Oh ! attendez ! Ce n'est pas tout... J'aimerais avoir les « posters » qui vont avec.

D'un mouvement sec, la jeune blonde balaie ses longs cheveux vers l'arrière.

— Tracy Chapman, j'en ai pus... Ça va aller à la semaine prochaine.

— Tant pis, je reviendrai... Mettez donc une affiche des Colocs à la place.

— Ah oui ? Comme vous voulez...

Le temps de trouver les « posters » demandés, de préparer la facture tout en commentant et discutant les choix de Pauline, puis la jeune fille consent à se taire un instant et lève la tête vers elle. Son sourire est maintenant celui d'une adolescente.

— Ça va faire 62,38 $, s'il-vous-plaît.

Et, au bout d'un bref silence, alors que Pauline cherche sa carte de crédit dans son porte-monnaie, elle ajoute d'une voix beaucoup plus douce:

— J'aurais aimé ça, moi, avoir une mère comme vous... Ouais, j'aurais ben aimé ça...

Pauline lève un regard un peu surpris.

— Ah oui ? Pourquoi ?

— J'sais pas, comme ça... Y'en a pas beaucoup de parents qui achètent des disques de ce genre-là pour leurs flos... Je trouve ça cool...

Jamais remarque n'a été aussi à propos que celle-là. La jeune vendeuse vient de toucher un point sensible. Pauline reste un moment immobile, sa carte de crédit au bout des doigts. Pourquoi au juste fait-elle tout cela ? Pour elle ou pour les autres ?

Même si, finalement, ce n'est jamais désagréable de se faire dire qu'on est gentille, la réponse lui vient spontanément et du fond du cœur:

— Pourquoi s'en empêcher, si c'est pour faire plaisir?

La jeune fille a retrouvé son sourire éblouissant. Mais, cette fois-ci, il n'est pas «Colgate» pour deux sous.

— Chus ben d'accord avec vous. Moi aussi je pense de même. Pis c'est en plein pour ça que je vous dis que ça doit être cool d'avoir une mère comme vous.

Quand Pauline sort du magasin, il lui semble qu'une partie de son cœur est remis à l'endroit.

* * *

Au moment où elle approche de l'école, Pauline remarque du coin de l'œil que l'auto du gardien est toujours à sa place. C'est vrai qu'il n'est que vingt heures quarante-cinq. Impulsivement, elle met son clignotant pour bifurquer sur la gauche et venir se garer contre la vieille Falcon de monsieur Giroux. Elle a amplement le temps de placer les deux nouvelles affiches. La surprise n'en sera que plus complète, demain matin, quand les jeunes arriveront en classe. Et puis, elle n'a pas tellement envie de se retrouver seule chez elle. Pas tout de suite. Surtout que le jeudi soir, il n'y a rien de bien intéressant à la télévision.

Brusquement, elle a peur d'être confrontée au silence de sa demeure. Elle n'est pas encore totalement en paix avec elle-même.

Alors, peut-être bien que de découvrir Kevin Parent, tout en finissant de décorer la classe, saura lui apporter cette diversion dont elle a grandement besoin.

Bien entendu, la porte centrale est fermée à clé. C'est toujours comme ça quand on se sent grognon ou susceptible ! La terre entière semble vouloir nous contredire ! Monsieur Giroux a dû verrouiller, constatant qu'il était seul à l'intérieur de l'école.

— Sac à plumes ! Je vais être obligée de faire le tour de l'école.

En soi, une insignifiance. Néanmoins, c'est la goutte qui fait déborder le vase. Trop d'émotions contradictoires sont venues entacher le cours de la journée. Et présentement, le moindre désagrément prend des proportions de cataclysme. Pauline a brusquement et très curieusement l'impression d'être un yo-yo. Tout à fait désagréable comme sensation. Elle a les nerfs à fleur de peau, l'humeur plutôt sombre et vient subitement de conclure qu'elle s'en porte fort bien, malgré tout.

Se complaire dans son mécontentement avec, en plus, une mauvaise foi évidente, apporte parfois un certain apaisement.

Rien de tel qu'un peu d'égoïsme pour se réconcilier avec soi-même.

Avec un claquement de langue impatient, Pauline tourne les talons, tempêtant intérieurement contre tous les gardiens de nuit de l'univers. Pourvu que la porte arrière soit toujours ouverte. Elle n'a pas envie de faire un chahut du diable pour attirer l'attention du vieil homme, un peu dur d'oreille. Mais comme elle a décidé d'installer les affiches, ce soir...

— Enough is enough, marmonne-t-elle en attaquant l'allée d'un pas agressif, sa journée au grand complet lui virevoltant dangereusement dans l'esprit.

Et si, en plus, elle doit jouer les Roméo sous le balcon, ça serait la cerise sur le sundae! Pourtant, s'il le faut, elle est prête à tous les combats.

En tournant le coin de l'école, le murmure d'une conversation ralentit son allure. Dans le parc, près d'une table à pique-nique, elle devine deux silhouettes. Les sourcils froncés, elle tente de percer la noirceur de cette soirée sans lune: une tête hérissée comme celle que lui dévoile la clarté indirecte du lampadaire de la rue voisine ne peut appartenir qu'à une seule et unique personne. Marco est là, c'est fort probable. Un sourire moqueur glisse sur son visage, tempérant son humeur belliqueuse. La curiosité l'emportant sur sa fâcherie intentionnelle, Pauline dirige aussitôt ses pas vers le tandem. Les deux jeunes ont eux aussi repéré sa présence. Le silence est tombé sur le parc. On n'entend plus que le bruissement des premières feuilles d'automne qui protestent sous la démarche lourde de Pauline. La voix de l'enseignante sonne étrangement clair dans la nuit presque chaude.

— Salut ! C'est toi Marco ?

Un soupir tout à fait audible, puis une voix agressive qui réveille instantanément sa propre impatience.

— Ouais... Pourquoi ?

La réponse fuse, à la hauteur de l'agacement de Pauline.

— Panique pas. C'est juste pour savoir...

Pourtant en rejoignant Marco et son amie, le sourire revient au visage de Pauline tel un rayon de soleil entre deux nuages.

— Oh ! Sonia, c'est toi... Qu'est-ce que vous faites ici, à cette heure ?

L'intonation est presque douce. Toutefois, Pauline regrette sa question quand Sonia tourne son interrogation vers Marco sans lui répondre. Un malaise indéniable se pose entre eux et, brusquement, l'enseignante se sent rien de moins qu'une indésirable.

Et la fête continue ! Comme journée, celle-ci sera à souligner au crayon gras !

Avec humeur, Pauline expire bruyamment. Dans le fond, ce que les deux jeunes font ici ne la regarde pas. Et de toute façon, pour une des rares fois de sa vie, elle s'en fout éperdument.

Tant qu'à témoigner de la mauvaise foi, aussi bien y mettre le paquet.

Elle s'est arrêtée à l'école dans un but très précis et c'est exactement ce qu'elle va faire: retourner à sa classe pour installer les deux «posters». En paix. Toute seule. Point à la ligne. L'écoute active, ce sera pour un autre jour. Alors, elle enchaîne très vite:

— Vous avez pas besoin de me répondre... C'est pas de mes affaires...

C'était sans compter la curiosité naturelle de Sonia. Alors que Pauline s'apprête à tourner les talons, la voix enjouée de la jeune fille l'interpelle sans la moindre équivoque.

— Mais, moi, je suis curieuse, alors j'emprunte ta question: qu'est-ce que tu fais ici, toi, à neuf heures du soir? Me semble que tu nous as dit que tu restais pas à Grande-Baie?

Par habitude ou par réelle affection pour Sonia, Pauline retient un soupir d'impatience à la dernière minute.

— C'est vrai, j'habite à Baie-des-Sables... Mais comme j'arrive de Gaspé et que je passais devant l'école, j'ai décidé d'installer tout de suite les «posters» que je viens d'acheter... Je vous l'ai dit ce matin: la classe vous appartient.

Ce devrait être suffisamment clair pour qu'on en reste là, non?

Pourtant, ce n'est pas l'avis de Sonia. Avec un rire mutin elle s'emballe:

— Ah oui? Des «posters»? Hé ben... Je pensais pas que t'étais sérieuse à ce point-là... Des «posters» de qui?

Cette fois-ci, Pauline ne retient pas le soupir qui lui monte aux lèvres. D'un ton volontairement cassant, elle précise:

— Kevin Parent pis les Colocs... Pour Tracy Chapman, ça va aller à la semaine prochaine, il y en avait plus...

Sonia qui, jusque là, était assise sur la table vient de sauter sur le sol.

— T'as acheté des «posters» pour nous autres?

Et dans la voix interrogative de la jeune fille, Pauline ne sait trop bien s'il perce une pointe d'intérêt ou d'incrédulité. C'est plus fort qu'elle, l'enseignante éclate de rire.

— Je fais ça chaque année, Sonia. J'ai affiché ceux que j'avais déjà et j'ai acheté les autres.

Puis, dans un élan, comme si elle avait à justifier autrement sa virée jusqu'à la ville voisine, Pauline laisse filer:

— De toute façon, j'aime bien aller à Gaspé. Ça me permet de faire un saut chez McDo!

Et voilà, elle a fait le tour de la question. Un dernier sourire à l'intention de Sonia et, maintenant, elle devrait pouvoir se retirer sans donner l'impression de fuir. Car c'est exactement comme cela qu'elle se sent: une prisonnière essayant de faire le mur. Dans son esprit, l'image est à la fois sarcastique et bon enfant. En soi, une fuite bien inoffensive! C'est alors que le rire provocateur de Marco, mordant désagréablement dans la douceur de cette nuit de fin d'été, éteint radicalement le sourire de Pauline.

— Me semblait aussi...

Serait-ce la mention du restaurant qui a eu l'heur de déclencher cet accès d'hilarité méchante? Ce ne serait pas nouveau. Alors, à cause de ce rire insolent, Pauline se met à lui en vouloir. Radicalement, du plus profond de ses tripes. Il aurait tout aussi bien pu la traiter de grosse torche, comme elle l'entend si souvent murmurer dans son dos, elle ne serait pas plus blessée qu'en ce moment. Ni plus agressive. La voix douce de Sonia arrive à peine à contenir la rage qui monte en elle.

— Moi aussi j'aime ça manger chez McDo. Les Big Mac, surtout.

Et en se penchant vers Marco, elle le pousse gentiment sur l'épaule:

— Envoye, grouille-toi le derrière... On va aider Pauline à installer les « posters ». Si tu veux... ajoute-t-elle en se tournant vers l'enseignante.

La grosse femme ne réagit pas tout de suite, elle n'entend que la tempête qui gronde en elle. Que les mots de colère qui lui viennent à l'idée. Elle sursaute vivement quand Sonia pose doucement la main sur son bras.

— Qu'est-ce que t'en penses? On peut venir avec toi pour installer les « posters » ? Mais gêne-toi pas: si on dérange, t'as juste à le dire...

— Les « posters » ? M'aider à installer les « posters » ?

Alors, dans un haussement d'épaules fataliste:

— Pourquoi pas ?

Mais l'enthousiasme n'est pas au rendez-vous. Après la journée qu'elle vient de vivre, la présence provocante de Marco est carrément de trop. Tout à coup, Pauline est très fatiguée. De cette fatigue qui sape toute énergie, mais qui boude le sommeil. La grosse femme en a assez pour aujourd'hui. Assez de remords, de contraintes, de justifications, de remise en question, de culpabilité. Mais curieusement, la furie qui tourbillonnait en elle s'est éclipsée devant cette grande lassitude qu'elle ressent. Comme un grand vide qui n'a qu'un nom: Pauline. Ne penser qu'à elle. Pour l'instant, elle a la certitude que c'est vital, si elle veut survivre à cette journée incroyable. S'il en a besoin, Pauline est bien prête à aider Marco, mais pas à son corps défendant. Et surtout pas ce soir... Elle ne peut s'empêcher de pousser, encore une fois, un profond soupir de contrariété en revenant vers l'école.

Est-ce bien elle qui refusait de remettre en question sa vie de célibataire ?

Elle aurait peut-être dû examiner la

question plus sereinement et profiter pleinement de ces moments de solitude. Là, maintenant, elle a la nette sensation d'être envahie. Comme un pays assiégé par une armée immense et impitoyable qui ravage tout sur son passage.

En définitive, le silence complaisant de sa maison sera peut-être le bienvenu tout à l'heure. Ainsi qu'un bon bain chaud plein de mousse...

La classe a déjà des allures de fête avec Jim Morrisson installé à côté d'une fenêtre, Mick Jagger accroché en biais sur le mur du fond en compagnie de Bob Marley qui le fixe intensément et les deux immenses effigies des Doors qui dominent le tableau de gauche. Sonia ne peut retenir un cri de surprise.

— Sont donc ben beaux tes « posters », Pauline. Où c'est que tu les as pris ?

— Tu les trouves beaux ? Pourtant, c'est des vieilles affaires. Je devais avoir à peu près ton âge quand je les ai achetés...

— Ah oui ? Mon âge ? T'écoutais de la musique rock, quand t'étais jeune ?

— Pourquoi pas ? Je te dirais même que

j'ai racheté tous leurs disques, quand la mode des CD est apparue...

— Hé ben...

Bien campée sur l'estrade, Sonia pivote lentement, promenant son regard d'un coin à l'autre de la classe.

— C'est super ! Laisse-moi te dire que c'est Fred qui va triper demain matin, en voyant ça. Les Doors, c'est toute sa vie...

— Ah oui ? Moi aussi j'ai un faible pour eux autres... Si j'ai pas écouté *Raiders on the storm* deux mille fois, je ne l'ai pas écouté du tout.

— Hé ben...

Sonia, la volubile, est à court de mots. Elle n'arrête pas de pivoter sur elle-même, le regard brillant. Assis sur la marche de la tribune, Marco, lui, n'a pas réagi. Les coudes appuyés sur les genoux, il se tient la tête à deux mains, les yeux au sol, comme si cet entracte dans la soirée l'ennuyait prodigieusement mais qu'en même temps il ne voulait pas déplaire à Sonia. Curieusement, en dépit de tout ce qu'elle est foncièrement et de tout ce qu'elle a coutume de prôner, Pauline n'a pas envie de l'approcher, de lui parler. Si elle ne cherche pas à provoquer les confidences, il lui arrive tout de même de les susciter à l'occasion. Mais pour l'instant, sa disponibilité se résume à tolérer la présence des deux jeunes à ses côtés.

À ses yeux, c'est déjà une importante concession.

« S'il veut bouder, qu'il boude, » se convainc-t-elle, indifférente, en reportant son attention sur Sonia. Sur le sourire contagieux de Sonia. Son intonation se module d'un léger emballement.

— Alors, on installe Kevin Parent et les Colocs ?

— Ben oui ! On est là pour ça...

Et après un regard sur la tête de Marco, Sonia hausse les épaules en faisant face à Pauline pour ajouter:

— Qu'est-ce que tu dirais d'accrocher Kevin entre les deux premières fenêtres ? Comme ça, je pourrais le voir facilement de ma place. Y'est assez beau...

Peu à peu, Pauline se laisse prendre au ravissement puéril de sa jeune élève. C'est finalement en riant que l'étudiante et l'enseignante placent les deux affiches. À tout moment, Sonia se recule, juge de l'effet produit, donne ses ordres à Pauline qui tire à droite, monte à gauche, décale du bas. Tout en travaillant, Pauline a l'étrange sensation d'être en compagnie d'une amie et non d'une de ses élèves.

Marco est toujours aussi taciturne et immobile. Agressivité passive qui réduit l'air ambiant.

Alors, d'une pirouette volontaire de l'esprit, Pauline en vient à oublier sa présence. Le ton est léger entre Sonia et elle, les reparties faciles et cela lui suffit pour être bien. C'est déjà un gros plus dans le déroulement infernal de cette soirée particulière.

— Et voilà, c'est fait! lance la jeune fille en se reculant une dernière fois et en promenant les yeux d'un mur à l'autre.

Puis, elle demande d'une voix enjouée:

— Qu'est-ce que t'en dis, Marco?

Devant l'indifférence persistante de son ami, elle pousse un profond soupir, puis refait un sourire à l'intention de Pauline.

— Laisse, lance-t-elle gentiment en lui prenant l'escabeau des mains, je m'en occupe. C'est bien dans le fourre-tout du corridor qu'il va?

De la colère de Pauline comme de sa lassitude, il ne reste qu'un souvenir confus. La bonne humeur de Sonia a posé un baume sur ses émotions malsaines. La fatigue qu'elle ressent présentement est d'une toute autre cuvée que celle éprouvée dans le parc. Elle est de celle qui nous porte au sommeil du juste, mérité après une dure journée de labeur. Quand Sonia réapparaît dans la classe, Pauline a une pensée reconnaissante pour la jeune fille. Toute mauve qu'elle soit, Sonia est un vrai rayon de soleil.

De tout ce temps, Marco n'a pas bougé. Comme s'il était de glace. Sonia lance un dernier coup d'œil sur les murs, refait un beau sourire à Pauline, puis s'approche de son ami.

— Debout, Marco... On rentre...

— C'est vrai, il est là, lui...

Pauline se veut drôle.

Mais, en même temps, elle s'aperçoit que sa remarque peut aussi être très méchante. Et qu'elle ne saurait dire avec sincérité lequel des deux buts elle poursuit. Il lui faudra décanter les émotions de cette longue journée pour en arriver à une idée juste. Pour elle comme pour les autres. À l'instant, il est plus prudent de s'en tenir à la surface des choses. Alors, posant les yeux sur la tête ébouriffée, Pauline choisit de dire qu'elle se veut drôle. Le compromis est moins lourd de conséquences. Étrangement, ses quelques mots restent suspendus dans l'air. Nul écho de rire ou de complicité. Sonia se tourne vers elle, rougissante, lève la main dans un geste de mise en garde:

— Laisse tomber, Pauline, je t'expliquerai une autre fois...

Mais Pauline ne cherche pas à comprendre l'avertissement sous-entendu. Marco est toujours aussi immobile, boudeur, les cheveux en cascade désordonnée devant son visage, ébauche de statue encore mal équarrie, grossière et sans intérêt. Ce n'est sûrement pas la mine maussade d'un enfant gâté qui va réussir à apaiser l'humeur instable de Pauline. Depuis près d'une heure que l'attitude de Marco l'exaspère, et brusquement, elle n'a nullement l'intention de le cacher. Pendant un moment, elle avait réussi à l'oublier. Mais, maintenant, cela suffit. Accumulation de tant de frustrations aujourd'hui, Pauline a la très nette impression que Marco la provoque depuis le matin. Qu'il le fait exprès. Que tous les impondérables de la journée découlent de cette attitude mesquine. Elle lève vivement la tête vers Sonia.

— M'expliquer... m'expliquer quoi? Que Marco n'est pas du genre à rire ou à aider? Je pense que je l'ai déjà remarqué...

Un ricanement l'interrompt. Et sans bouger, Marco marmonne:

— Je ris juste quand c'est drôle...

Une voix pâteuse, chevrotante. Tout à fait déroutante. Pauline fronce les sourcils, sans pour autant se départir de sa réserve. Mais que signifie cette façon de répondre? Bon caractère ou pas, Pauline estime en avoir assez fait et entendu pour aujourd'hui. La limite de sa patience est atteinte, pour ne pas dire dépassée. Elle réplique du tac au tac:

— Non, mais... Pour qui te prends-tu, à la fin? T'es pas tout seul à exister sur terre, mon beau. De l'air, ça en prend pour tout le monde. Moi y compris. Va falloir que tu t'enfonces ça dans le crâne, si tu veux qu'on arrive à passer l'année... Finalement, je pense que je me suis trompée, ce midi. Je ne suis plus du tout certaine qu'on fait partie de la même gang, toi et moi.

C'est une des premières fois que Pauline se sent agressive envers un de ses élèves. Et presque justifiée de l'être. Malgré cela, l'espace d'un instant, elle s'en veut de ne pas avoir su se contrôler. Puis, elle hausse les épaules. Comme air bête, Marco ne laisse pas sa place. Tant pis pour lui. Il a couru après. Mais, quand le jeune se décide enfin à lever la tête, l'insolence qui croise la colère de Pauline n'a rien à voir avec celle que Marco posait sur sa corpulence, ce matin même. La vivacité arrogante des iris noirs est éteinte, morte, remplacée par une suffisance craintive. L'irritation de Pauline fond à l'instant où elle remarque les yeux rougis, hagards. Sans l'ombre d'une hésitation, la colère cède le pas à l'inquiétude. Et cette fois-ci sera la bonne: en elle, Pauline retrouve l'habituelle empathie qui la porte vers les autres. Sonia n'aura rien à expliquer. C'est clair comme de l'eau de roche: Marco est complètement gelé. Et ce n'est pas seulement la conséquence d'un quelconque joint de feuilles...

Une fraction de seconde, Pauline ferme les yeux, se rappelant subitement le suicide d'un jeune du village d'à côté, il y a trois ans. On avait dit, à l'époque, qu'il était sous l'influence de la drogue au moment de ce geste fatidique.

Comme s'il voulait défoncer sa poitrine, le cœur de Pauline se met à battre de façon désordonnée, complètement folle.

Décontenancée, mal à l'aise, la grosse femme n'en fait pas moins un pas vers Marco. Seule une angoisse insoutenable étreint ce cœur malhabile à dire les choses d'émotion. Faute d'expérience. Comme avec Gabriel. Cette solitude qui colle à sa vie, retenant sa spontanéité naturelle... Pourtant, si elle n'avait pas si peur d'écouter ses élans de tendresse, Pauline prendrait ce gamin dans ses bras, tellement il a l'air désemparé. Elle voudrait tant être capable de le serrer très fort tout contre elle, lui communiquer la chaleur qui l'envahit en ce moment. Ses craintes comme sa douceur. Néanmoins, Pauline n'ose pas. Elle demeure immobile, les bras ballants, incapable d'exprimer ce qu'elle ressent. Et Marco ne bouge pas, lui non plus. Il se tient assis sur la marche de la tribune, à quelques pas, avec ce regard insoutenable d'un enfant encore tout petit, séparé des siens et écrasé par la foule, criant sa peur en essayant de se tenir sur le bout des pieds pour respirer, agrippant tout ce qui passe pour ne pas tomber et être piétiné. Ce regard éperdu, paniqué... En même temps, Pauline sent la dureté du jugement qu'il porte sur elle, irrévocable, défiante.

— Marco, je regrette...

Pauline se tait, croyant avoir été suffisamment claire, ne sachant quel autre mot peut dire le soutien dans un moment comme celui-ci. Lentement, Marco se tourne à nouveau vers elle, un éclat vacillant mais brutal au fond des prunelles. Tel un animal pris en chasse. Les plumes orangées ne balancent plus leur arrogance habituelle. Les pointes avachies, curieusement moins flamboyantes, comme décolorées, lui retombent sur le front, ombrageant le visage anguleux de l'adolescent. Seule une indéfinissable méfiance accompagne le geste sec repoussant la longue frange instable. Et comme s'il avait deviné les intentions de Pauline, il lui crache son venin au visage:

— Fatigue-toi pas la grosse, j'ai pas besoin de ta pitié... Chus ben comme chus...

Ultime défense, inutile agression.

Pauline recule d'un pas, blessée, rougissante de peine et les mains tremblantes. Se levant péniblement, Marco fait un pas vers Sonia qui, cette fois, n'est pas intervenue. Quand Marco prend de la poudre, invariablement il se sent persécuté. Alors, il vaut mieux ne pas s'interposer. Elle l'a appris à ses dépens et comme finalement elle l'aime bien...

— Dépêche Sonia, amène-toi. On lève les pattes! Ça sent la grosse vache icitte, pis ça m'écœure...

Le dernier regard que Marco renvoie à Pauline est celui d'un être désabusé qui n'attend plus rien de la vie. Une indifférence froide, déçue, démesurée, méprisante. Sur un geste d'excuse, Sonia lui emboîte le pas, se retourne un instant avant de passer la porte.

— T'inquiète-pas, Pauline, j'ai l'habitude avec lui... M'en vas le ramener jusque dans son lit. Demain... demain, y va aller mieux. Je te l'promets... Je... je m'excuse pour lui. Y'est pas toujours comme ça, tu sais.

Sans un mot, Pauline lui fait un petit signe de tête, puis écoute le bruit de leurs pas qui décroît dans le couloir.

Tout ce qui restera imprimé dans sa mémoire, c'est l'expression de peur et de panique qu'elle a aperçue dans les yeux de Marco. Le reste de cette soirée n'a désormais aucune importance. Que sont ses misérables états d'âme devant cette vie à peine esquissée et déjà balafrée? Que la paranoïa d'un enfant écorché vif qui lui fait monter les larmes aux yeux.

Bouleversée, Pauline éteint derrière elle, referme la porte tout doucement en inspirant profondément et à plusieurs reprises, tentant de contrôler sa respiration. Lentement, lourdement, elle descend au rez-de-chaussée. Une tache de lumière jaunâtre éclaire faiblement le hall principal. Mais ce soir, Pauline ne glissera pas la tête dans l'embrasure de la porte pour saluer monsieur Giroux, comme il lui arrive parfois de le faire. Il lui tarde de retrouver le confort rassurant de sa petite maison tranquille et silencieuse.

Comme si toute la fatigue du monde reposait présentement sur ses épaules, s'ajoutant inutilement à sa lourdeur habituelle. Cette lassitude insoutenable qu'elle sent battre dans chacun de ses os, insolente intruse, revenue s'imposer en conquérante dans la vie de Pauline Ferland, la grosse femme de Baie-des-Sables.

4

De lourds nuages se sont levés, masquant le scintillement des étoiles, voilant encore plus cette nuit déjà sombre. Une brume froide et humide s'est échappée de la mer et tente à présent de regagner la terre ferme, épousant les courbes sinueuses de la route et rendant la conduite périlleuse. Soudée à son volant, Pauline en profite pour se concentrer sur les virages qui se succèdent.

Cela lui évite de penser.

Un parfum d'automne frisquet a subtilisé les douceurs d'été qui s'entêtaient encore, il y a une heure à peine et se faufile maintenant dans l'air, impudent personnage, rattrapant la grosse femme en robe légère au moment où elle se dirige vers sa maison. C'est avec un frisson dans le dos et un soupir de soulagement qu'elle referme la porte derrière elle.

— Enfin ! Home, sweet home !

Machinalement, Pauline dépose son sac

à main et sa mallette contre la patère lorsque la sonnerie du téléphone se fait entendre. Une légère hésitation, une grimace d'impatience, avant de se diriger vers la cuisine pour répondre. C'est Sonia: Marco dort à poings fermés et elle n'a plus à s'inquiéter. Les quelques mots de remerciement de Pauline sont sincères: Sonia est une fille merveilleuse à la délicatesse des cœurs généreux! Pauline raccroche, un éclat de reconnaissance au fond des yeux.

Puis par réflexe, elle passe au salon, oubliant du coup tout ce qui n'est pas son propre confort.

Ne l'a-t-elle pas mérité?

Toujours par habitude, elle tend la main pour faire un peu de clarté, avant que ses pas ne la mènent directement au lecteur de disques compacts. Gestes coutumiers mais qui, ce soir, lui semblent appartenir à une autre vie, une autre époque. Comme si elle évoluait à l'extérieur d'elle-même et se regardait agir. Approchant le tabouret, elle s'y laisse tomber en soupirant, s'installe devant sa collection de CD et presse un bouton pour mettre le système en marche.

Charles Aznavour attend patiemment, silencieusement lové sur le plateau. Pauline regarde longuement la plaquette de plastique argenté, avant de passer une main lasse sur son visage.

— Sac à plumes ! Quelle journée !

Du regard, elle fait l'inventaire de ses disques et s'arrête devant « The Doors ». Un sourire vague effleure ses lèvres, pendant qu'elle remise Aznavour pour le remplacer par son groupe préféré.

Ces réminiscences de jeunesse qui nous restent collées au cœur et au corps sans qu'on sache trop bien pourquoi...

Poussant les haut-parleurs au maximum, elle regagne l'étage en se laissant porter sur les vagues envoûtantes de *Raiders on the storm.*

Elle avait oublié de fermer la fenêtre de sa chambre en quittant la maison ce matin. La pièce est glaciale. On dirait que le vent se lève expressément de la mer pour s'y engouffrer. En frissonnant, elle se précipite pour rabattre le volet, puis attrape sa robe de chambre, presque une antiquité, avachie sur le pied de son lit.

Vite, un bon bain chaud et parfumé.

Pour peut-être réussir à laver cette interminable journée de toutes les opprobres qui l'ont flétrie. Pour éloigner cette froideur qui la fait frissonner du cœur et de l'âme.

Pendant de longues minutes, Pauline laisse tout son être se complaire du bienfait de l'eau sur sa peau, de cette vapeur de muguet qui lui chatouille les narines.

Cette chaleur enivrante, cette douceur parfumée qui la frôle...

D'une main légère, elle suit le contour de ses bras, les effleurant à peine, remonte à ses épaules qu'elle étreint comme le ferait la caresse d'un amant, avant de se masser longuement la nuque. Puis elle se laisse glisser sur les reins, de l'eau par-dessus les oreilles, ses bras flottant au rythme de la vague qui s'ensuit. Elle respire lentement, très profondément, et se concentre sur le bruit sourd que lui renvoie son propre souffle. Si ce n'était de l'eau qui refroidit, Pauline passerait la nuit dans son bain. Cette sensation de légèreté que procure l'eau, ce bien-être qui l'enveloppe... Pouvoir laver son esprit de toutes les douleurs que lui a réservées cette journée. Comme on lave un corps ou une paire de chaussettes sales. Se remettre le cœur à neuf, comme on le fait d'un jeans taché. Repartir à zéro... « Stop ! On rembobine et on reprend la scène ! »

Mais Pauline sait fort bien qu'on ne recommence pas les scènes de la vie. On ne peut même pas refuser de les jouer.

Ne penser qu'à la douceur du moment présent. Se dorloter, se materner. Elle en a tant besoin. Et personne ne le fera à sa place.

C'est en essuyant la lourdeur d'un sein et la courbe d'une hanche que lui vient l'idée. Oh ! d'abord une vague tentation qu'elle repousse d'un haussement d'épaules.

— Qu'est-ce que c'est que cette folie, Pauline Ferland ? Tu t'étais pourtant promis...

Malgré cela, les sourcils se froncent quand sa main, sous la serviette, suit le galbe d'une cuisse. Une cuisse forte et large, bien que ferme sous la pression. La tentation se fait envie. Telle une curiosité qu'on n'arrive plus à retenir, qui devient lancinante. Avant de se transformer en besoin irrépressible. Pauline s'accorde une dernière hésitation, avant que le drap de bain ne se retrouve sur le plancher en remous désordonnés. L'envie de savoir l'emporte finalement sur toute autre considération. Nue, Pauline regagne le couloir et se dirige vers le placard confortable autrefois minuscule salle de bain. Elle en ouvre la porte, fait de la lumière, se glisse entre deux caisses de carton brun empilées l'une sur l'autre et les décorations de Noël sagement rangées dans leurs boîtes blanches et bleues.

— Sac à plumes ! Sont donc ben loin !... Ayoye...

Elle ressort du cagibi un long rectangle emballé de papier journal jauni sous le bras. Du menton, elle arrive à repousser l'interrupteur pour éteindre, et du talon, referme le placard. Alors, elle revient jusque dans la salle de bain en tenant fermement le paquet encombrant, des deux mains.

Aussitôt, Pauline referme scrupuleusement la porte derrière elle, prenant subitement conscience de sa nudité.

En soufflant bruyamment, elle vient appuyer son lourd fardeau contre le mur.

Puis, elle recule de deux pas et le fixe intensément...

Pourquoi ce soir? D'où lui vient cette subite envie? Seraient-ce les émotions de cette longue et imprévisible journée? Pourtant, ce n'est pas la première fois que Pauline se voit confrontée à vivre des heures de frustration. C'est monnaie courante, pour elle, de se sentir agressée par les banalités de la vie, d'être méchamment visée, souvent par de purs inconnus.

Alors, pourquoi ce soir?

N'est-ce là qu'avidité de voir, de savoir vraiment? Ne va-t-elle pas avoir terriblement mal?

Pendant un moment, l'indécision revient, s'impose, recule, résiste avant de s'estomper complètement derrière la soif de connaître qui recommence à l'envahir. Pauline soupire. Peut-être veut-elle tout simplement en avoir le cœur net. Pour faire la paix avec elle-même. En continuité avec cet accès d'égoïsme, tout à l'heure dans le parc. Ne penser qu'à elle, car il n'y a qu'elle qui puisse le faire. Et personne ne le saura. Personne.

Tout à coup, Pauline Ferland prend conscience qu'elle ignore bien des choses sur Pauline Ferland. À commencer par l'allure qu'elle a. Vraiment, sans complaisance ni complexes.

Par choix ou par crainte? Elle ne saurait répondre. Cela fait tellement longtemps...

Hésitante, elle s'approche du mur. Du bout d'un ongle, délicatement, presque craintive, Pauline se met à gratter un papier collant qui retrousse, l'arrache, tire lentement sur le vieux papier journal qui cède facilement et se laisse déchirer en longues lanières presque égales. Petit à petit, la surface lisse et brillante de l'ancien miroir de l'entrée se découvre, s'élargit, devient immense.

Fermant les yeux, Pauline se redresse complètement et recule de quelques pas. Une fraction de seconde, un vague sourire adoucit ses traits tourmentés.

— C'est maman qui serait contente, murmure-t-elle. Elle y tenait tant à ses chers miroirs biseautés!

Un reflet d'émotion traverse son visage. Aussitôt après, plus rien. Le visage de Pauline devient de marbre, une simple ride striant son front.

Angoisse, indécision, recul? Une profonde inspiration soulève les épaules de la grosse femme et efface la ride.

Puis, brusquement, elle ouvre les yeux, sur une simple pulsion, comme on se lance à l'eau du plus haut tremplin. Devant Pauline, à quatre pas, une inconnue. Une femme à l'allure familière, mais qu'elle ne reconnaît plus.

Cela fait plus de dix ans que Pauline ne s'est pas regardée. Vraiment regardée.

Même lorsqu'elle achète un vêtement, invariablement, elle tourne le dos à la glace de la cabine d'essayage, ne se mirant qu'une fois la robe ou le chemisier enfilés.

Et encore...

Si la fermeture glisse sans effort ou si les boutons rejoignent les boutonnières sans tirer, c'est que le vêtement va, non?

Et voilà que maintenant, devant elle, il y a cette femme. Si la main suivait les courbes, sûrement qu'elle s'y reconnaîtrait. Mais étrangement, la main n'ose pas. Elle reste inerte, posée mollement contre la cuisse. Alors, il y a cette inconnue. Projetant un air de famille, bien sûr, de déjà vu, mais en même temps avec une allure différente, presque énigmatique. Comme si le souvenir voulait volontairement créer cette distorsion enveloppée de mystère. Pour peut-être enfin accepter...

Et voilà qu'en elle, du plus profond de sa lucidité et de sa volonté, Pauline ressent une coupure. Froide, impersonnelle, décisive.

Sans douleur.

Cette étrangère qui la regarde ne lui appartient pas, ne procède pas d'elle-même ou du souvenir qu'elle en a gardé. C'est pourquoi Pauline peut la regarder froidement, sans émotion. L'examiner sans complaisance, sans souffrance non plus. Ce n'est qu'une passante qui lui ressemble étrangement. Rien de plus...

D'une main lente, elle ose dénouer le ruban qui retient les cheveux de l'inconnue. De longues mèches, châtain clair, frôlent l'épaule de la femme. Elles sont souples et brillantes. La frange qui ombrage le front est, elle aussi, souple et brillante. Le regard des yeux noisette est direct, franc et, malgré leur indifférence actuelle, un brin malicieux. Le nez est fort, c'est indéniable, Pauline s'en serait douté, mais malgré tout, il est droit, un tantinet retroussé ce qui est, somme toute, pas si déplaisant que ça. Les lèvres minces, mais bien ourlées, dessinent en ce moment une moue inquisitrice, donnant à l'étrangère un petit côté sérieux pas trop désagréable. De ce premier coup d'œil, Pauline aurait envie de dire qu'il la satisfait. L'ensemble de ce visage est plutôt avenant à travers ses rondeurs.

Malgré ses rondeurs.

Ce soir, dans la pénombre de la pièce, l'allure de belle pomme mûre devient presque un attrait. Ou une invitation.

Délaissant l'examen de la figure, un voile rosé colorant ses joues tant Pauline se sent indiscrète en ce moment, le regard se porte maintenant sur les épaules. Tellement rondes et blanches qu'on voudrait y poser la main avant de la laisser glisser jusqu'aux seins lourds pour les soulever, en caresser la peau souple au grain fin. L'image devient si réelle que le bras de Pauline se plie, que sa main droite se glisse sous son sein gauche pendant que, de l'autre main, elle l'enveloppe de longs mouvements circulaires. Lentement, tout doucement. Contre sa paume, une pointe dure et chaude semble vouloir se nicher. La caresse se fait plus sûre, plus précise, jusqu'au moment où Pauline échappe un gémissement. Une sorte de plainte qui interrompt le geste. Les bras retombent aussitôt le long du corps, pendant que Pauline relève lentement la tête. Le regard noisette qu'elle rencontre lui est familier.

L'étrangère serait donc une amie?

Le temps d'une incertitude fragile, presque douloureuse, puis Pauline hausse les épaules. Elle n'ose emprunter le chemin de la reconnaissance, car elle a peur que ce soit des larmes qui l'attendent au bout de la route.

Elle n'est pas encore prête à faire face à cette réalité. À sa réalité.

Il lui faut passer par l'étrangère, si elle veut se rendre jusqu'au bout. Au bout de sa quête. Peut-être au bout d'elle-même.

Alors à nouveau, elle laisse glisser son

regard sur le corps de l'inconnue. Pour l'apprivoiser avant d'y découvrir, peut-être, une présence complice.

En dépit des chairs généreuses, la taille reste bien marquée, soulignée par des hanches larges et fortes. À l'instar de ces tableaux d'un autre siècle, dédiés à la gloire de la maternité. L'image se fait donc rassurante, sécurisante, presque agréable. Par contre, le ventre se dédouble, un pli profond camouflant le nombril et un repli couvrant en partie la toison de son sexe. Instinctivement, la grosse femme redresse les épaules, cambre les reins.

On aurait dit Pauline essayant une robe neuve.

Malgré tout, le ventre reste rond et mou, refusant de répondre à l'impulsion des muscles. Avec un soupir de déception, l'inconnue courbe doucement les épaules. Pourtant, quand on s'y attarde, on remarque le grain de la peau. Il est si fin, avantagé par l'éclairage diffus de la pièce, qu'une main aimant les rondeurs ou un corps cherchant à se blottir saurait y trouver réconfort. Même Pauline admet que le corps de l'inconnue n'est pas repoussant, comme elle se plaît à imaginer le sien. Différent de ce que l'on voit dans les magazines, assurément, mais pas grossier ni immoral.

Ne reste que les cuisses qui sont franchement grosses, boudinées. Un peu comme les fesses, marquées de cellulite et de vergetures, qu'on entrevoit quand l'inconnue pivote légèrement. Pas très belles. Pauline le concède avec un petit rictus de sagacité à l'intention de l'étrangère.

— Faut quand même être lucide, n'est-ce pas ?

Alors, pour se rassurer, le regard termine sa course sur le galbe de la jambe qui pourrait appartenir à n'importe quelle femme. Même les plus minces. À l'image de ses mains fuselées, aux attaches fines...

Une sorte d'incohérence dans le corps de cette grosse femme, un déséquilibre déconcertant.

Pourtant, elle existe bel et bien cette disproportion. Elle est là, devant elle. Elle s'offre à son regard sans pudeur. Elle est faite de chair et de sang. Un sang que

Pauline entend battre dans ses veines. Bruyamment, à chaque soubresaut du cœur. Peut-être à cause de cette étrangère qui se livre à elle, impudique, avec ses imperfections et ses attirances. Semblable à n'importe quel autre corps.

Avec ses promesses de plaisir, aussi. Pourquoi pas?

À nouveau, du bout des yeux, Pauline survole l'abondance du corps qui semble l'observer. Et la main suit le regard, reconnaît plis et courbes comme on retrouve un vieil ami. Pauline a l'impression de sortir d'une longue période de léthargie. Devant elle, ce corps nu n'est plus une incarnation de paresse que l'on regarde avec dédain ou réprobation, mais bien un hommage à la générosité.

Peu à peu, l'inconnue s'efface, se fond à ce que Pauline a de meilleur en elle: une femme généreuse, gourmande de tout ce qui est beau et bon. Une amoureuse de la belle musique comme du bon vin, d'une merveilleuse journée d'été comme d'un repas plantureux.

Pour la première fois de sa vie, Pauline a

l'impression qu'elle pourrait accepter ce corps.

Elle vient de comprendre qu'elle s'y prépare depuis très longtemps et que c'est maintenant qu'elle va le faire.

Ce soir, seule face à elle-même, Pauline a choisi de reconnaître ce corps imparfait mais beau, dans tout ce qu'il offre à aimer.

S'accepter pleinement, amoureusement, avant d'être acceptée des autres. Brusquement, avoir envie de tout mettre en œuvre pour être acceptée des autres. Pour être désirée des autres dans tout ce qu'elle a.

Le faire avant qu'il ne soit trop tard. Dans moins de deux mois, Pauline Ferland aura quarante et un ans...

Sur un dernier soupir et un vague sourire, Pauline se détourne enfin.

De la confrontation avec une passante venue de nulle part et qu'elle a finalement choisi de reconnaître, elle sort gagnante. Au bout de la route empruntée il y a quelques minutes, c'est la paix qui l'attendait. Et non pas les larmes qu'elle prévoyait. Distraitement, elle tend le bras vers sa vieille robe de chambre, l'enfile sans y penser, ramasse la serviette oubliée sur le plancher, la pend au cintre de métal doré sur le mur, à côté du bain.

Ces gestes d'habitude qu'elle retrouve en ce moment avec une curieuse sensation de reconnaissance, de bien-être.

En passant devant le miroir, le reflet qu'elle devine du coin de l'œil l'arrête brusquement. Pauline fronce les sourcils.

— Mais qu'est-ce que c'est que cette allure ?

À demi attachée, élimée aux coudes et au col, sa robe de chambre lui donne un air négligé, fatigué.

Rien à voir avec la femme qu'elle a bien voulu voir en elle.

D'un geste vif, Pauline tire sur le cordon de la ceinture et laisse tomber le vêtement sur le plancher de tuiles.

— Malgré tout ce que tu as pu en penser jusqu'à maintenant, Pauline Ferland, tu es encore mieux toute nue qu'accoutrée en quêteuse... Quand même !

Sans l'ombre d'une hésitation, cette fois, la grosse femme se dirige vers sa chambre, ouvre le premier tiroir du haut, cherche sous une pile de vêtements. Un franc sourire traverse son visage quand elle en retire une longue robe de nuit bleu marine, soyeuse et légère, offerte par sa mère quelques mois avant son décès et que Pauline n'a jamais mise, se disant trop grosse pour ce genre de vêtement.

Elle n'avait jamais compris que sa mère puisse songer à lui offrir une telle frivolité.

Pourtant, en se voyant dans la glace, Pauline aimerait effacer les années pour retrouver sa mère et lui dire merci. La femme qu'elle aperçoit présentement est aussi belle et sensuelle que toutes celles qui la tourmentent quand elle feuillette les revues.

À sa façon...

D'un air mutin, Pauline dénoue le ruban de l'encolure, laisse le décolleté dévoiler la naissance de ses seins. Elle se regarde longuement, apprécie ce qu'elle voit, se fait un sourire de connivence.

— Coudonc, Pauline! T'es pas si pire que ça... Pour un peu, je dirais même que t'es provocante, ce soir...

Et pour sceller ce nouveau pacte avec elle-même, Pauline descend à la cave, déniche vis et marteau, revient en courant à la salle de bain. Le grand miroir biseauté de sa mère a reconquis ses lettres de noblesse. Dorénavant, au lieu de le voir comme un ennemi, Pauline a décidé de s'en faire un complice...

— Merci, maman... fait-elle curieusement émue, s'analysant une dernière fois dans la glace bien fixée au mur.

Alors, d'une main catégorique, elle attrape sa vieille robe de chambre avant de la rouler en boule, entremêlée avec les journaux jaunis. En se rendant à la cuisine, elle a l'impression d'avoir perdu vingt kilos. Au moins. Même la troisième marche de l'escalier en oublie son gémissement coutumier.

— Et voilà!

Le couvercle de la poubelle se referme avec son claquement métallique habituel.

Pourtant, Pauline jurerait qu'elle vient d'entendre un rire. Un rire de soulagement.

* * *

Déjà vingt-trois heures trente. Malgré cela, Pauline n'est aucunement fatiguée. Dans le salon, Jim Morrisson reprend *Raiders on the storm* pour la seconde fois. Et contre toute attente, cette musique nostalgique qu'elle a toujours aimée se met brusquement à lui taper sur les nerfs.

Sans chercher à comprendre, Pauline se dirige vers le salon.

Comme si ce soir, elle venait de franchir une étape dans sa vie et que de regarder en arrière pourrait être dangereux.

C'est consciemment qu'elle a choisi de faire cet autre pas en avant, voyant dans l'étrangère une femme qui lui ressemble vraiment. Un pas qui la laisse apaisée, heureuse. Alors, en ce moment, elle aurait envie d'entendre quelque chose de gai ou de très langoureux.

En accord avec elle-même.

Après quelques minutes d'hésitation, elle choisit un bon vieux Beach Boys, qui sera suivi par *Don Juan de Marcos.* De quoi s'endormir sur de beaux rêves. En chantonnant *Barbara Ann*, elle retourne à la cuisine pour préparer son lunch du lendemain. À défaut d'avoir envie de dormir, autant en profiter.

De nouveau, semblable à celui mangé ce midi, elle se fait un sandwich au jambon. Pour ne pas gaspiller. C'est un réflexe chez elle. Et comme il en reste un petit bout, elle se tartine une tranche de pain, la garnit de la viande et d'une copieuse portion de fromage suisse.

Puis, sur une impulsion, elle se verse un peu de vin blanc dans le premier verre venu.

N'a-t-elle pas envie de fêter, de souligner un événement important?

Au lieu de s'installer banalement au bout de la table de cuisine, elle revient donc encore une fois sur ses pas et choisit le plus confortable des fauteuils du salon: une berceuse en velours fleuri ayant appartenu à sa grand-mère. Elle s'y laisse tomber avec un soupir de contentement, un regard gourmand dévorant déjà la légère collation.

Quand elle est heureuse, Pauline a toujours envie de manger.

Un instant à froncer les sourcils essayant de comprendre la chose, puis elle hausse les épaules.

— C'est probablement héréditaire!

En se calant dans la bergère, elle se rappelle que sa mère soulignait chacun des moments d'importance dans leur petite vie à trois. Une pêche de morues abondante, un anniversaire, de bonnes notes à l'école... Invariablement, c'était soit par un repas soigné, soit un dessert élaboré.

— Et pourquoi pas ?

Se dorloter, ne penser qu'à elle jusqu'au bout. Surtout que maintenant, elle sait fort bien pour qui elle le fait. C'est pour Pauline Ferland, la grosse femme de Baie-des-Sables. Celle qu'elle vient de rencontrer au fond d'un miroir et qu'elle a décidé d'aimer. Sur une impulsion. Sur un coup de cœur. Après s'être mis l'âme et le corps à nu.

Curieusement, en dégustant le meilleur sandwich jambon-fromage qu'elle n'a jamais mangé, c'est son enfance qui se déroule dans sa tête et qu'elle voit s'imprimer en clair-obscur sur le mur vert forêt devant elle. Le film de ses jeunes années qui défile au ralenti: les longues journées en mer avec son père; les soirées près du poêle à regarder la télévision; Gabriel avec qui elle passait des heures interminables sur la plage; les pique-niques à Percé avec ses cousines ou encore avec les familles de ses amies...

La musique des Beach Boys est remplie de soleil et d'insouciance, comme les souvenirs qui lui viennent à l'esprit. Ces moments d'enfance qui lui appartiennent, beaux comme un ballon de plage lancé joyeusement dans un ciel d'été. Le visage de son père tout en rides, buriné par le soleil et le sel du grand large. Celui de sa mère, toujours aussi calme et serein, jour après jour, à cause de cette confiance qu'elle avait dans la vie et dans son homme.

Cet amour que Pauline a toujours senti entre ses parents et qui rejaillissait sur elle. Abondance et confiance.

Sur le mur devant elle, sur le vert foncé de la tapisserie fleurie, se découpe nettement le portrait de son père et de sa mère. L'un près de l'autre, sans jamais se toucher, non jamais, se tenant pudiquement, les yeux dans les yeux, ou regardant ensemble jusqu'au bout de l'horizon, là où la mer mélange son bleu à celui du ciel. Cette image, plus que les autres, est celle de son enfance, avec une petite tête blonde qu'elle devine entre eux, aux longues nattes couleur de tire essayant de voir ce que ses parents semblaient tant admirer. Cette très belle femme qui était sa mère et cet homme fort qu'elle avait pour père...

Ces deux êtres qui s'aimaient profondément et qui ont fait d'elle ce qu'elle est. Pourquoi le renier ? Pourquoi le refuser ?

Déposant son assiette vide à ses pieds, elle reprend son verre de vin et le tient à deux mains. La musique frivole et naïve des Beach Boys lui arrache un sourire. Appuyant la tête contre le dossier de la chaise, les chevilles croisées sur la table à café, Pauline suit le rythme du groupe californien en battant la mesure avec le pied. Lentement, les yeux fermés, elle sirote son vin.

Cette douceur qu'elle ressent. Cet apaisement si nouveau pour elle et qui la berce.

5

« To really love a woman, to understand her... » La voix envoûtante de Brian Adams a remplacé la musique d'adolescents des Beach Boys. Pauline, qui s'était légèrement assoupie, vient d'ouvrir les yeux et sursaute, sentant le verre lui glisser des mains. Heureusement, il est vide. Le déposant dans l'assiette, elle en profite pour s'étirer longuement.

— Sac à plumes ! Quelle journée !

Mais l'intonation est loin de ressembler à celle de tout à l'heure. Un soupçon d'incrédulité joyeuse sous-tend les mots, les fait s'envoler dans la pièce.

Légers, si légers...

S'étirant encore une fois, elle se relève, ramasse les reliefs de sa collation nocturne, souffle sur les quelques miettes qui déparent sa belle robe de nuit. La douceur profonde de l'indicatif musical du film *Don Juan de Marcos* la porte jusqu'à sa chambre.

Toute la maison lui fait l'effet d'un cocon paisible et douillet.

« Un havre de paix », comme le disait si bien son père quand il ancrait son bateau de pêche dans la baie, près de la plage du village.

Elle soupire d'aise en se glissant entre les draps tout frais, se refusant d'entendre les lames du sommier qui protestent allégrement.

Ce soir, la grosse femme ne se sent pas grosse.

Enfonçant son poing droit dans le matelas, elle se retourne sur le côté, en deux étapes, soufflant un peu et se cale l'épaule dans l'oreiller.

— Demain, je vais pouvoir porter ma robe marine, murmure-t-elle d'une voix éteinte, percevant le sifflement du vent qui tourne le coin de la maison.

Elle s'endort avec l'envie folle de se faire belle. L'image d'une femme élégante dans un tailleur très foncé, le col entrouvert sur sa poitrine généreuse, s'enroule langoureusement aux premières vagues de sommeil qui emportent Pauline.

Il lui tarde d'être au matin afin de vérifier si le miroir lui a bien dit la vérité. Toute la vérité...

* * *

Il fait toujours nuit. Le vent s'est calmé et tout repose dans un silence de cathédrale. Pourtant, Pauline vient de s'éveiller en sursaut, le cœur battant, le front moite. C'est inhabituel pour cette femme qui dort d'un sommeil de plomb. Sans doute à cause du manque d'habitude aux vêtements de coquetterie: le nylon de la robe de nuit lui colle à la peau, inconfortable. Sans chercher à savoir l'heure, Pauline s'appuie sur un coude, se soulève à demi et se retourne sur le côté. D'un coup de reins puissant, le poing gauche agrippant la couture du matelas, elle s'assoit sur le bord du lit, et de la main, ramène machinalement la cuisse droite contre l'autre.

— Sac à plumes que j'ai chaud!

À tâtons, elle se dirige vers la salle de bain où elle allume enfin une veilleuse, réveillant les ombres d'une soirée un peu spéciale.

Les images lui reviennent, capricieuses,

comme un rêve confus nous tourmente au réveil.

Le miroir indiscret lui renvoie la faible clarté de la petite lampe découpant sa silhouette.

Et d'un seul coup, le rêve s'estompe, se confond à la réalité.

À présent, Pauline est bien éveillée et revoit très clairement toute la soirée de la veille. Le long bain bienfaisant; la rencontre qu'elle a eue avec une étrangère; ce contentement incrédule qui l'avait transportée pendant quelques heures. Et maintenant, il y a ce profil qui épouse chacun de ses mouvements et qui continue de la surprendre. Le long vêtement, tout de plis vaporeux, avantage chacun de ses gestes et caresse la peau de Pauline à chaque pas qu'elle fait, l'enveloppant d'une sensualité qu'elle ne se connaissait pas.

Est-ce bien elle qui était venue ici pour enlever sa robe de nuit et se laver sommairement avant de prendre un grand verre d'eau?

Subitement, elle en doute. Autant qu'elle doute de la raison véritable de son réveil.

Pauline sent la pointe de ses seins qui se

durcit au simple frôlement du tissu et elle est bien de cette sensation de désir qui naît en elle. Un désir puissant, au-delà du simple besoin physique qu'il lui arrive de ressentir parfois et qu'elle calme tant bien que mal, une vieille revue à la main. En ce moment, il n'est nullement question de se satisfaire d'une grande soif par jour de canicule. La pulsion qui monte en elle la dépasse, lui enlève toute volonté, toute conscience autre que ce feu qu'elle sent brûler au plus profond de son corps et qu'elle n'a surtout pas envie de repousser, comme elle le fait si fréquemment en haussant les épaules.

Brusquement, Pauline comprend ce qui l'a vraiment tirée du sommeil. Au beau milieu de la nuit, tel un appel venu de nulle part, Pauline Ferland avait rendez-vous avec elle-même. L'acceptation de ce qu'elle est doit peut-être passer par une ultime confrontation. Aller au fond des choses. Aller au bout de soi, au bout de sa vie, au bout de ses envies les plus légitimes et en même temps les moins acceptées. Anéantir les tabous comme on brise les chaînes de l'esclavage. Se donner le droit d'être elle-même jusqu'à l'extrême limite de sa folie. Sans restrictions. Juste pour une fois.

Lentement, attentive aux gestes qu'elle pose, Pauline dénoue complètement le ruban qui retient sa robe de nuit. Tout doucement, comme au ralenti, elle glisse une main à la rencontre d'un sein, le soulève, le fait glisser par l'encolure. Le mamelon large et foncé, à la pointe dressée, se détache effrontément sur la blancheur laiteuse de sa peau, l'excitant encore un peu plus.

Est-ce bien elle, cette femme sensuelle qui se déshabille à gestes lents et provocants ? Ou n'est-ce là que l'étrangère revenue la courtiser tout en la narguant ?

Pauline ne tient pas à le savoir. Que cette image devant elle, troublante, grisante, obsédante...

Du bout du doigt, elle suit le contour de son sein. En cercles de plus en plus petits. À chaque fois qu'elle en effleure la pointe, Pauline retient un gémissement de plaisir et retire sa main pour un instant, suspendue entre rêve et réalité. Pas tout de suite, pas si vite...

Puis, elle reprend le mouvement. Tout doucement, comme si elle avait peur de rompre un sortilège. Après quelques instants, n'y tenant plus, Pauline retire son vêtement, s'attarde encore un moment à frotter la pointe chaude et dure de ses seins avec la paume de ses mains. S'imprègne de cette image de fierté, d'arrogance, d'assurance.

Mais qui donc se cachait en elle ?

Puis, lentement, les mains se désintéressent de ce jeu, descendent le long du ventre, faisant frémir les chairs trop souvent endormies. Pressant les hanches, elles continuent leur chemin, se complaisent à palper les cuisses, le pli de la fesse, avant de remonter vers la toison, de l'entourer, de la couvrir de la main comme pour la protéger. Du geste précis de l'habitude, deux doigts viennent finalement ouvrir le sexe humide pendant qu'un index s'y glisse, à la rencontre des points sensibles qu'il connaît bien, s'y attardant, les agaçant.

Alors Pauline ferme les yeux, se concentre sur les vagues de langueur, de volupté qui l'envahissent. Le doigt se fait effronté, la pression plus soutenue, pendant que de l'autre main elle revient câliner les seins qui se languissent. Le mouvement s'accélère, devient intense et sûr de lui, avant de se figer dans un long gémissement de plaisir.

Pauline reste un moment immobile, un bras protégeant sa poitrine, l'autre main n'osant quitter son refuge. Les yeux toujours fermés sur l'excitation qui décroît, sur la sensation d'abandon qui la gagne.

Sur la culpabilité qui ne saurait tarder. Comme à chaque fois...

Pourtant, le besoin irrépressible de prendre une bonne douche pour se fouetter les sangs tarde à venir. Que la douceur sensuelle qui persiste. Et la soif.

N'osant se regarder, de peur de voir réapparaître cette notion d'interdit, de délinquance ressentie à chaque fois qu'elle se masturbe, Pauline se détourne lentement.

Et vient aussitôt éteindre la lumière.

Puis, se guidant de la main comme une aveugle, elle trouve le comptoir et se verse un grand verre d'eau qu'elle avale d'un trait.

Vite, retrouver la chaleur rassurante de son lit et se rendormir sur cette sensation de paix. Finalement, tout cela n'est peut-être qu'un rêve. Qu'un doux et merveilleux rêve qu'elle pourrait continuer.

Jamais, de toute sa vie, Pauline ne s'est sentie aussi bien. Jamais. Elle n'est ni souillée ni coupable du geste qu'elle vient de poser. Un long soupir de contentement se fond au déclic de la porte qui se referme.

Cette nuit, dans l'intimité d'une maison qu'elle aime, qu'elle a modelé à sa ressemblance, Pauline Ferland a choisi de n'être qu'une femme. Sans qualificatifs disgracieux. Sans fausse pudeur non plus. Ni grosse ni laide ni belle ni parfaite. Peut-être juste un peu seule. Mais malgré cela, c'est une femme heureuse et fatiguée qui se glisse dans son lit, rêvant à la présence chaude et rassurante d'un homme auprès d'elle... Y voyant, pour une première fois, une chose peut-être possible.

* * *

L'automne a couru après l'été pendant la nuit et l'a rejoint au matin. Le ciel, d'un bleu électrique, est parsemé de moutons blancs, gambadant au gré de la brise, floconneux comme une première neige. La mer, presque noire, clapote ses roulis de mousse grisâtre aussi loin que l'œil peut porter, jusque tout là-bas, sur la ligne brillante de l'horizon. Pour une habituée de la place comme Pauline, nul besoin d'ouvrir la fenêtre pour comprendre que la journée sera fraîche. La nature parle d'elle-même. Appuyée sur un coude, elle laisse voguer son regard au gré des flots, incapable de se résoudre à quitter le confort douillet de son lit. Pourtant, ce matin, il y a classe.

Il est vrai que le réveil de Pauline a précédé l'agression du cadran de quelques minutes. Et que son lunch pour le goûter de midi est déjà prêt.

S'étirant longuement, elle échappe un grand bâillement. Encore quelques instants avant de se résoudre à l'inévitable. D'humeur paresseuse, Pauline se cale dans l'oreiller en soupirant.

Caprice de l'esprit ? L'image d'un miroir encadré de bois doré s'impose brusquement à son souvenir. D'un seul bloc, vingt-quatre heures de sa vie se bousculent impétueusement dans sa tête.

Précipitant les gestes autant que faire se peut, Pauline repousse les couvertures et saute en bas de sa couche. Prenant conscience de sa nudité, elle attrape le couvre-lit en chenille blanche, l'arrache d'un geste vif et s'en drape avant de quitter la chambre. L'intimité de la nuit ayant disparu avec le lever du jour, Pauline se sent définitivement plus à l'aise enrobée comme une momie.

On n'égare pas une vie de pudeur sur un simple élan de bon vouloir ou sur ce qui n'est peut-être, finalement, que des illusions.

La salle de bain est inondée de soleil, joyeuse comme une promesse de fête. Le miroir emprunte à l'astre du jour autant de rayons qu'il le peut et les jette pêle-mêle sur tous les murs. Pauline s'arrête un instant, agréablement surprise, puis fronce les sourcils. Décontenancée, elle vient de s'apercevoir qu'elle ne s'est pas précipitée à la cuisine pour mettre le café en marche. Mais qu'importe ?

Ce matin, Pauline Ferland a plus important à faire.

Les lueurs flatteuses de la pénombre d'hier soir font place à une lumière crue et indiscrète. Sur le sol de céramique, sa robe de nuit, abandonnée, enroulée sur elle-même.

L'image qu'on a cru voir sera-t-elle au rendez-vous, maintenant que la réalité d'un soleil bien franc s'entête à nous poursuivre ?

Pauline hésite un moment avant de se détourner. Avec une moue d'indifférence qui a tout du geste fataliste, elle se décide enfin.

— Autant en avoir le cœur net tout de suite !

La couverture fermement enroulée autour de ses épaules, les deux poings sous le menton, Pauline se retourne enfin, hésite encore une fois, le cœur battant, fait un pas, lève la tête.

Une lueur de soulagement traverse le regard de la grosse femme.

Finalement, le miroir n'avait pas menti. Ou si peu. Si peu.

Glissant une main au-dessus de la couverture, Pauline vient machinalement replacer une mèche de cheveux, la glisse derrière l'oreille, puis fait bouffer la frange de son toupet. Une fois les stigmates du sommeil oubliés, ce visage un peu rond gardera tout de même une allure fort respectable.

— Soyons lucide et honnête, pour une fois. Et pas trop sévère...

Pauline étire un grand sourire. Un beau, un si beau sourire...

Comme une personne venant d'apprendre qu'elle a gagné à la loterie après avoir attendu les résultats, immobile, le souffle court et les doigts croisés.

Elle a l'impression d'avoir tiré un numéro chanceux à la loterie de la vie. Semblable à un heureux hasard qui aurait croisé son chemin.

Sur une pirouette qui lui semble un tantinet moins lourde que d'habitude, Pauline se dirige vers la douche.

Tout compte fait, le déjeuner attendra!

Et quand elle referme la porte de la maison derrière elle, à huit heures cinquante, après avoir escamoté le déjeuner car elle n'arrivait à décider quelle robe mettre, ce n'est pas uniquement l'enseignante qui se précipite vers son auto.

Pour la première fois en quinze ans, c'est la femme qui attaque sa journée d'ouvrage comme de nombreuses autres femmes à travers le monde posant les mêmes gestes qu'elle en cet instant bien précis. Une femme curieusement différente malgré les apparences. Un peu plus sûre d'elle dans ce fameux tailleur marine, au col volontairement entrouvert. La chaîne en or de sa mère, récupérée dans un coffret de bois posé sur la table de nuit dans la chambre de ses parents, frôle doucement sa peau à chacun de ses mouvements.

Une femme portée par une assurance toute nouvelle, fragile et inquiète. Éphémère, peut-être?

Ajustant le rétroviseur, Pauline ne peut s'empêcher de jeter un autre regard à ce visage qui ressemble terriblement à celui d'hier, mais qu'elle ne voit plus de la même façon.

Pourquoi? Elle ne saurait le dire avec certitude. Tout simplement un besoin en elle. Ou une envie longtemps retenue. Comme une exigence exacerbée par le passage du temps qui aurait atteint sa limite, hier, l'emportant dans un tourbillon fou qu'elle n'arrive pas à contrôler. Tel le poussin devenu trop grand pour sa coquille et qui se décide, un bon matin, à l'attaquer à grands coups de bec pour se libérer. Sans que personne ne lui ait dit quoi faire ni quand le faire.

Apprendre à respirer seul est une question d'instinct. C'est une opération laborieuse, souvent malhabile, toujours épuisante. Mais nécessaire.

Et c'est ainsi que Pauline se sent ce matin. Chancelante, un peu craintive devant le monde qu'elle voudrait bien voir s'ouvrir à elle, inquiète de ce qui l'attend.

Et si tout cela n'était qu'illusion? Et si tout cela n'était qu'un rêve? Un beau rêve qui prend ses désirs pour des réalités et qui n'appartient qu'à Pauline Ferland, demeurant inconnu ou inaccessible aux autres...

En passant devant la maison de Gabriel Vignaut, voyant les rideaux encore tirés, Pauline ressent une petite piqûre au cœur.

La sensation douloureuse que nous réserve la déception. Toutes ces déceptions qui ont pavé le chemin de sa vie jusqu'à maintenant... Lentement, Pauline courbe le dos. Retrouve l'inconfort de ses bourrelets, de son double menton. Mais qu'allait-elle s'imaginer ? Qu'à cause de quelques heures de rêverie tout allait changer ?

— Voyons donc, ma pauvre Pauline...

Un nuage gris se glisse entre la grosse Chrysler bleue et le soleil, assombrissant le paysage, noircissant le remous des vagues.

En soupirant, la grosse femme tourne le bouton de la radio. Surtout, ne pas penser. Redresser les épaules et faire confiance à la vie. Ne vient-elle pas de lui faire un clin d'œil de connivence ? N'essaie-t-elle pas, la vie, de transmettre un message à Pauline ?

À nouveau, la femme échappe un profond soupir. Dans vingt-cinq minutes, elle sera arrivée à l'école. Pour le moment, c'est tout ce qui peut avoir de l'importance. Retrouver sa classe, revoir Rachel. Puis, elle repense aux affiches qu'elle a installées. Sûrement qu'il y aura des Oh ! et des Ah ! Dans vingt-cinq minutes, elle aura le verdict d'appréciation de vingt-deux jeunes qui ont soudainement beaucoup d'importance à ses yeux. Il lui tarde de les retrouver.

Mais, en attendant, ne pas trop penser, se laisser porter par cette sensation nouvelle et se contenter d'écouter les informations.

Au-delà des petites préoccupations ou des espérances mal définies d'une femme trop grosse et trop seule, le reste du monde continue d'exister. C'est ce même monde qui a permis à Pauline Ferland de se rendre où elle est, d'être ce qu'elle est. Personne n'y échappe.

Alors, fronçant les sourcils comme elle le fait à chaque fois qu'elle veut se concentrer, Pauline monte le son de la radio. Elle vient de dépasser le panneau indiquant le village de Baie-des-Sables et la route, devant elle, se perd maintenant en méandres et en courbes épousant intimement le littoral.

6

La cour de récréation est encore une fois pleine de cris et d'exclamations joyeuses. Malgré la température nettement plus fraîche, les adolescents retardent à dessein le moment de se retrouver à l'intérieur des vieux murs, coincés dans des classes trop silencieuses.

Aujourd'hui, on commence à admettre que l'été est bel et bien terminé. L'odeur ensoleillée des vacances, qui persistait hier encore, a cédé le pas à celle, plus rance, de l'encre et des cahiers neufs. Les jeunes, qui s'apostrophent, ne le font pas sur le même ton.

Malgré tout, cette agitation bruyante a un effet salutaire sur Pauline. À la fois apaisant et revigorant. D'un coup de hanche, elle referme la portière derrière elle et respire un bon coup pour reconnaître cette senteur subtile de mer entremêlée aux effluves âcres des cigarettes que les jeunes ont le droit de fumer à l'extérieur de l'école.

Chaque matin, cela lui suffit pour se savoir chez elle. Dans un monde qui lui est familier et qui la sécurise.

Pourtant, à l'instant, à travers la sérénité qui est la sienne quand elle met les pieds à l'école, s'entortille l'appréhension d'une attitude différente. Son cœur bat un peu plus vite qu'il ne le devrait.

D'un geste discret, elle replace l'encolure de sa robe, fait jouer la chaîne autour de son cou, ajuste les manches de sa veste, les joues empourprées de gêne devant cette démonstration de séduction, même prise dans le sens large du terme et insoupçonnée par elle jusqu'à ce jour.

Elle connaît peut-être les moindres caprices dans l'art d'apprivoiser les gens, il n'en reste pas moins que l'élégance et ses attraits lui sont totalement inconnus.

Brusquement, elle a peur d'avoir l'air ridicule.

D'un mouvement de la main, précis parce que naturel, Pauline balaie une mèche de cheveux vers l'arrière. Et, du coup, se sent mieux.

Puis, de sa démarche autoritaire, elle

fend la foule compacte des élèves, en direction de la porte centrale de l'école. Elle rend quelques saluts, mais ne s'arrête pas. En arrivant dans le stationnement, elle avait déjà pris la décision de passer par la salle des professeurs avant de se rendre à sa classe. Comme ça, sans autre raison que celle de converser avec des adultes, en s'offrant le café qu'elle n'a pas pris chez elle. Une fois n'est pas coutume, n'est-ce pas?

Et aussi, soyons sincère, Pauline sait très bien, au fond d'elle-même, qu'elle espère retrouver dans les regards croisés le reflet renvoyé par le miroir. Soutenu par un haussement d'épaules réservé, elle se répète pour la nième fois depuis hier: « Pourquoi pas? » Cette perception, cette acceptation d'elle-même qu'elle espère tant voir chez les autres. Et cela depuis longtemps, depuis si longtemps... Tous ces autres qui croisent sa vie, hommes et femmes confondus. Cela n'a pas vraiment d'importance. Elle n'a besoin que d'une vérification, une confirmation.

Après, le reste de la journée — le reste de sa vie, peut-être — coulera bien de lui-même. Dans un sens ou dans l'autre.

C'est à cela qu'elle pense, Pauline Ferland, en gravissant les deux étages, les paupières mi-closes, oubliant de compter les marches. Non pas une réflexion précise, dirigée, consciente. Non. Il n'y a qu'une intuition en elle. Un pressentiment instable, précaire, qui continue de lui faire battre le cœur un peu plus vite, allant jusqu'à ralentir les pas qui se dirigent maintenant vers la grande salle. Derrière la porte vitrée, un brouhaha de voix l'attire et l'inquiète tout à la fois.

C'est en se répétant qu'il y a de fortes chances pour que personne ne remarque quoi que ce soit qu'elle se décide enfin.

— Pauline! En quel honneur?

Rachel est déjà là et la salue joyeusement, du bout de la table. Raoul aussi lui fait signe, un café à la main. Probablement son troisième depuis qu'il est arrivé. C'est toujours Raoul qui part la cafetière, le matin, en bon célibataire fier de l'être. Pauline rend la salutation, un sourire narquois au coin de l'œil. Sacré Raoul! Elle se débarrasse de sa mallette sur le bout du comptoir, se prend un café. Le premier de la journée, elle qui habituellement en avale un plein pot avant même de quitter sa demeure.

— Décidément, murmure-t-elle en faisant tomber deux carrés de sucre dans le liquide fumant, rien ne va plus...

Pourtant, cette entorse au protocole de sa routine ne l'agace nullement. Bien au contraire ! Seul un léger creux dans l'estomac rend la chose quelque peu désagréable.

Elle aurait bien dû déjeuner, aussi !

Mais est-ce réellement la faim qui occasionne ce malaise ? Sans chercher à savoir, Pauline rejoint Rachel et Raoul.

— Bon matin, vous deux !

Deux regards curieux se posent sur la grosse femme. Rachel la fixe un moment, fronce les sourcils.

— Salut... Qu'est-ce que tu fiches ici de si bon matin ? Ce n'est pas dans tes habitudes de partager le premier café avec nous...

— Oh ! Comme ça, sans raison.

Raoul éclate de rire.

— Toi, agir sans raison? À d'autres, veux-tu!

Puis, après un bref examen, les yeux en point d'interrogation, une main flattant une calvitie à tout le moins spectaculaire et dont il se moque à grands coups de gueule et à la moindre occasion:

— Mais qu'est-ce que t'as mangé, pour l'amour?

Encore une fois, Pauline hausse les épaules.

— Rien, justement.

C'est au tour de Rachel de s'esclaffer.

— Rien? Pauline Ferland n'a pas déjeuné? Tu peux bien faire la morale aux autres, toi...

Pauline hésite quelque peu. Puis, d'une voix qu'elle voudrait détachée:

— Moi, c'est pas pareil, j'ai des réserves. Je ne...

Surprise par ses propres paroles, Pauline s'interrompt. Jamais, au grand jamais, elle ne fait référence à son embonpoint. En aucune façon. Elle se moque d'elle-même, ça oui, mais toujours de manière détournée, ne parlant jamais de son poids. Intriguée, un peu mal à l'aise, Rachel se penche vers elle:

— Mais qu'est-ce qui se passe ce matin, Pauline?

— Rien, absolument rien...

Devant l'interrogation de Rachel, Pauline se met sur la défensive. Le timbre de sa voix s'est durci. Alors, légèrement piquée, Rachel lui rétorque, d'un ton à la fois déçu et catégorique:

— Parle pas comme ça. Ça ne te ressemble pas.

Durant quelques secondes, la réponse de Rachel résonne en écho dans la tête de Pauline, sonnant pratiquement comme un reproche. Elle s'attendait à toutes sortes de choses, mais pas à ça. Pas ce matin. Alors, pour couper court, elle approuve du bout des lèvres, incapable de plus car, en ce moment, l'émotion lui encombre la gorge, l'empêchant même de boire son café.

— C'est vrai... T'as probablement raison. Je... je m'excuse...

« Je m'excuse... »

Pendant un instant, ces quelques mots flottent entre Rachel et Pauline. Puis, la grosse femme fixe la fenêtre, pour cacher son embarras. Rachel la regarde encore une seconde, sans comprendre, puis revient à la discussion qu'elle avait avec Raoul lors de l'arrivée de Pauline. Ce n'est pas vraiment le temps d'approfondir la question. Mais, un peu à cause de ce geste qui lui semble indifférence ou abandon, la grosse enseignante s'aperçoit que, dans le fond, il n'y a rien de changé. Sinon que quelques heures d'illusion sont venues fausser les données de sa vie.

Et elle a eu la faiblesse d'y croire.

Tout d'un coup, elle se sent presque grotesque d'avoir osé penser que tout allait changer. Que tout venait de changer. Elle a l'impression d'être toute petite, alors qu'en même temps son poids lui pèse, plus lourd que jamais. Pauline aimerait que la salle se vide de tous ces gens qu'elle connaît et qu'elle aime, mais qui sont de trop dans sa vie. Vouloir se fondre au décor, se faire invisible. Là, maintenant, juste pour ce moment précis. Le temps de se reprendre en mains, d'accepter la réalité avant de redessiner le masque habituel.

Lentement, Pauline revient vers Rachel qui discute vivement avec Raoul. Pourtant, le bruit de leur conversation n'effleure pas ses oreilles. Comme si elle se trouvait dans une autre dimension. Celle des émotions à l'état pur qui se sont mises à tourbillonner depuis hier et qui la tiennent à l'écart de sa logique coutumière.

Pauline réussit péniblement à avaler sa salive, prend une longue gorgée de café et s'oblige à concentrer son regard sur son amie. Rachel est toute belle du secret qui vit en elle et, brusquement, la femme si discrète sur sa vie et sa sensibilité aurait envie de parler. Se confier à quelqu'un, partager le secret qu'elle garde dans son cœur, elle aussi. Celui de sa solitude et de son besoin viscéral de la présence d'un homme.

Cette envie de plaire et d'être aimée qui est la source vitale de tous les humains.

Dans un élan de sincérité, elle aimerait avoir le courage de raconter la nuit qu'elle vient de vivre. Expliquer à Rachel ce rendez-vous imprévu avec une étrangère et la découverte de toutes ces choses qu'elle ne pressentait pas. Lui demander si ce n'était qu'un rêve ou si la grosse Pauline Ferland a encore le droit d'espérer.

S'appuyer sur quelqu'un et oser croire que cette personne peut donner des réponses. Et qu'elles seront les bonnes.

— Merde, déjà la cloche...

Pauline sursaute quand Rachel se lève brusquement, un peu trop brusquement. Elle s'appuie fermement sur la table, prise d'un étourdissement. Oubliant du coup ce qui lui semble si important depuis la veille, Pauline pose un regard inquiet sur son amie.

— Ça va?

La future mère se tourne vers Pauline. Un éclat de complicité passe entre elles. Puis, un sourire:

— Oui... merci. Donne-moi ta tasse, je vais la rincer avec la mienne.

La salle s'est vidée en un clin d'œil. Le couloir résonne de tous ces pas et ces voix qui se croisent, pressés de retrouver le bon local. Revenue de son inquiétude, la démarche lourde, Pauline se dirige vers le comptoir pour récupérer sa mallette.

— Pauline, attends-moi...

Rachel la rejoint, glisse un bras sous le sien.

— Je suis contente d'être revenue de voyage, tu sais. Tu m'as manquée pendant l'été...

Quelques mots qui pourraient n'être que politesse. Pourtant, Pauline sait que c'est plus, beaucoup plus que cela.

— Toi aussi, tu m'as manquée.

« Et tu me manques encore, » pense-t-elle, curieusement émue, au moment où Rachel referme la porte derrière elles. C'est alors, comme si elle venait de deviner les pensées de sa compagne, que Rachel ajoute, sur le ton de la confidence:

— Je ne voulais rien dire devant Raoul, tu sais comme il aime se moquer, mais cette robe te va à ravir.

Pauline reste un instant interdite. Puis, d'une toute petite voix, presque incrédule:

— Tu trouves?

Rachel s'anime:

— Et comment! Si tu voulais m'écouter, aussi... Un peu de maquillage et tu ferais tourner les têtes, Pauline Ferland.

La grosse femme sent la rougeur lui

monter aux joues. Sac à plumes que ces mots sont doux à entendre! Néanmoins, toujours aussi secrète, elle prend le parti d'en rire. Comme si elle n'avait pas droit à cette attention. Ou peut-être tout simplement par manque d'habitude.

— Arrête donc! Là, c'est toi qui te moques de moi.

À ces mots, Rachel s'arrête et fixe longuement son amie. La deuxième cloche vient de sonner. Le corridor se dépeuple, quelques portes claquent. Mais, en ce moment, peu importe le retard. Du plus profond de l'intuition que lui donne leur amitié, Rachel devine que Pauline a besoin d'elle. Alors, oubliant cloche et élèves, c'est d'une voix sérieuse et grave qu'elle précise:

— Moi, me moquer de toi? Jamais, Pauline. Jamais... On ne se moque pas des gens qui sont merveilleux. On peut juste les envier, parfois.

* * *

C'est en arrivant devant la porte de sa classe que Pauline prend conscience qu'elle vient de gravir deux volées de marches sans même s'en rendre compte, les yeux grands ouverts sur les derniers mots de Rachel.

Ce que le bonheur peut faire, quelquefois ! Il lui semble n'être qu'une plume portée sur un petit nuage rose.

— Bon matin à tous !

Les jeunes sont éparpillés un peu partout dans la classe. On examine les affiches, on commente, on apprécie.

— Salut Pauline. Super tes « posters » !

— Merci.

— Où c'est que t'as pris celui de Mick Jagger... y'est écœurant !

L'épithète lui tire un sourire moqueur.

— Tu trouves ?

— Mets-en !

Bien campé en plein milieu de la pièce, Fred s'extasie sur les deux images des Doors, en fait l'anthologie à qui veut bien l'écouter. L'enthousiasme de tous ces jeunes fait plaisir à voir. Sans se préoccuper plus qu'il n'en faut du vacarme des voix qui se chevauchent, Pauline vient à sa place, range ses choses, sort son livre de grammaire. Puis, elle demeure immobile, les mains croisées devant elle. Sur ce point, elle n'a pas changé et ne changera jamais: fabriquer de la joie pour les autres sera toujours, à ses yeux, une des plus belles choses qui soient. Alors, silencieuse, elle laisse ses élèves exprimer librement leur emballement.

« Encore quelques minutes, se dit-elle avec indulgence. On a toute l'année devant nous. »

Son regard va de l'un à l'autre, un large sourire soutenant le plaisir qu'elle ressent. C'est à ce moment qu'elle s'aperçoit que Marco manque à l'appel. D'un regard rapide, elle survole la classe. Mais non, aucun plumeau orangé dans la salle. Un spasme lui creuse le ventre et efface son sourire, la soirée d'hier lui labourant subitement l'esprit. Puis, un reproche balaie ses autres pensées. Comment, pendant toutes ces heures, comment a-t-elle pu oublier cet enfant meurtri? Fallait-il qu'elle soit loin, très loin dans son petit monde intérieur, pour qu'une telle attitude soit concevable. Le souvenir d'un visage amaigri, aux paupières rougies et à la bouche amère, lui traverse le cœur avec la précision douloureuse d'une écharde plantée dans la chair. Aussitôt, elle se relève, contourne quelques pupitres, va jusqu'à Sonia qui a regagné sa place. Et voulant être le plus discrète possible, elle demande:

— Marco?

La jeune fille se tourne vers elle.

— Inquiète-toi pas, Pauline... Je... je t'en reparlerai plus tard. Tout est sous contrôle.

— T'es bien certaine de ça?

— Tout à fait.

Pauline reste encore un moment à scruter le visage de l'adolescente. Devant son clin d'œil et la moue qui souligne sa bouche, l'enseignante se sent légèrement rassurée. Très légèrement, à travers la culpabilité devenue sienne depuis quelques instants. Se redressant, elle frappe alors dans ses mains, tout en se dirigeant vers l'avant de la classe.

— Que tout le monde regagne sa place... Nous allons commencer.

* * *

L'heure et quart menant à la récréation lui semble un imbroglio d'habitudes et d'inquiétude. Elle se voit très clairement donnant son cours mais, si le corps agit, l'esprit est loin de la classe. La pratique d'un geste soutenu peut parfois avoir du bon ! Malgré tout, Pauline ne peut s'empêcher de pousser un réel soupir de soulagement quand la cloche retentit, appelant la première pause de l'avant-midi. Fermant son livre d'un geste sec, elle annonce d'une voix catégorique:

— Quinze minutes à l'extérieur pour tout le monde... Au retour, vous avez un cours de mathématiques.

Et en même temps, d'un simple regard, elle fait signe à Sonia de ne pas quitter la classe.

Avec son inimitable sourire, la jeune fille vient rejoindre l'enseignante à l'avant. D'un geste assuré, sans y être invitée, elle s'installe sur un coin du bureau de Pauline et, sans émotion apparente, lui lance:

— Marco est à l'hôpital.

On dirait qu'il s'agit d'une constatation banale sur la température. Mais Pauline ne l'entend pas de la même oreille. À ces mots, elle bondit.

— Quoi ? À l'hôpital ? Et tu disais de ne pas m'inquiéter ?

— Ben oui... C'est la meilleure chose qui

pouvait lui arriver, tu sais... Là, il n'aura plus le choix de se reprendre en mains.

L'enseignante fronce les sourcils, laisse la constatation de Sonia faire son chemin en elle. Puis, avec un soupir d'approbation:

— Ouais... Vu sous cet angle.

Pourtant, au bout d'un court silence:

— Mais hier, quand tu m'as téléphonée, tu disais que...

— C'était la vérité. Quand je l'ai laissé, Marco était dans son lit. C'est juste ce matin quand je suis passée pour le prendre, que son père m'a raconté.

— Raconté? Raconté quoi?

— Que tard dans la nuit, Marco a été malade comme un chien. En plus, son père ne comprenait rien à ce qu'il disait... C'est comme si Marco était devenu fou et qu'il s'était mis à délirer. Son père a paniqué pis l'a conduit à Gaspé, à l'hôpital... Le médecin a parlé d'overdose. Pourtant, hier...

Un peu gênée, Sonia arrête brusquement de parler, penche la tête, laissant ses longs cheveux créer un écran entre Pauline et elle. Dans le fond, elle ne connaît pas vraiment Pauline Ferland. Cette femme n'est qu'une adulte au même titre que tous les autres. Pourrait-elle comprendre ce qui se passe dans la vie d'un gars comme Marco ? Elle, Sonia, a-t-elle le droit de lui faire confiance au nom de Marco ?

Respectant le soudain retrait de l'adolescente, Pauline se lève, contourne son bureau, descend de la tribune et vient à la fenêtre. En bas, dans la cour, les jeunes sont regroupés par petites grappes. Ça et là, on fait passer de main à main l'unique cigarette qu'on aura le temps de fumer avant le rappel des cours. Un peu malgré elle, Pauline dessine un sourire ému qui englobe à la fois sa tristesse, son inquiétude face à Marco et le respect qu'elle a toujours eu pour les jeunes. C'est le propre des adolescents de partager entre eux, de se refermer sur eux-mêmes. Ce spleen de l'adolescence, à la fois si complaisant et douloureux. Si sérieux, quand on le vit.

Perdue dans sa contemplation, Pauline n'a pas entendu les pas de Sonia qui s'approchait d'elle. Elle sursaute, quand l'épaule de la jeune fille frôle son bras en la rejoignant devant la fenêtre.

— Tu sais, Pauline, Marco c'est un bon gars... Je voudrais pas que tu le juges seulement sur ce que t'as vu de lui hier...

Encore une fois, pendant quelques instants, Pauline se répète ce que Sonia vient de dire. Juger... Être jugé... Bien souvent uniquement sur des apparences. Elle en sait quelque chose, la grosse Pauline. Alors, elle répond d'une voix douce:

— Ce n'est pas dans mes habitudes de juger les gens, Sonia...

Et ayant compris, par intuition, que Sonia est une fille droite, à qui elle peut se fier, Pauline poursuit:

— Quand... Quand on est comme je suis, on sait fort bien tout le mal que peut faire un regard désobligeant ou une parole blessante. Ce n'est souvent que de la méchanceté gratuite devant la différence... Un peu comme le racisme.

Puis, une intensité douloureuse dans la voix, elle répète:

— Non, jamais je ne me permettrais de juger les autres. J'ai déjà trop souffert à cause du jugement des gens...

Pendant un long moment, Sonia demeure

silencieuse. Il y a tellement d'émotion dans ce que vient d'avouer l'enseignante qu'elle ne sait que répondre. Pourtant, au plus profond d'elle-même, elle a compris, du même coup, que la confiance qu'elle était prête à accorder à Pauline a toutes les raisons du monde d'exister. Alors, comme Rachel l'avait fait avant elle, Sonia glisse son bras sous celui de la grosse femme.

— C'est bien ce que je pensais... Ta façon de nous parler est tellement spéciale, tellement... Oh ! Et puis merde ! J'sais pas comment dire ça... C'est vrai que t'es différente... Dans le bon sens, je veux dire. Quand je suis avec toi, même si je te connais pas beaucoup, j'ai pas envie de construire de barrières...

Puis, levant les yeux vers l'enseignante qui est beaucoup plus grande qu'elle, elle ajoute:

— J'sais pas si tu peux comprendre ce que je veux dire ?

Pauline penche la tête vers Sonia. Elle n'est qu'une gamine. Douze, treize ans peut-être. Pourtant, elle parle comme une adulte avec ses mots d'enfant. Elle a l'intuition des cœurs sincères et... les plus merveilleux cheveux mauves que la terre ait connus ! C'est avec un sourire maternel que Pauline lui répond:

— Oui, je peux comprendre ce que tu essaies de dire... Tu sais, dans la vie, il y a des gens avec qui on n'a pas vraiment besoin de parler pour se comprendre. Je ne pourrais pas expliquer le pourquoi, mais c'est comme ça. Peut-être bien qu'on pense pareil, toi et moi.

— Peut-être, oui...

— Alors ? Pour Marco ? Est-ce que tu crois qu'on peut l'aider ?

— Bien sûr ! Enfin, j'espère.

La jeunesse reprenant ses droits, Sonia s'ébroue, s'éloigne de Pauline, s'installe à califourchon sur la première chaise venue.

— Dans le fond, moi ce que je pense, c'est juste que Marco arrive pas à accepter la mort de sa mère... C'est depuis ce temps-là qu'il s'est mis à faire des conneries. Avant, Marco était ben correct. Envers lui-même pis envers les autres.

— Sa mère est morte ?

— Oui, au printemps dernier... Cancer,

comme tout le monde, on dirait...

— Marco Trudel... Mais oui, ça me revient. Grosse bête! Comment se fait-il que je n'ai pas fait le lien avant... Mais entre nous, Sonia, ça peut expliquer bien des choses.

Soulagée de voir que sa théorie est prise au sérieux, Sonia poursuit avec verve:

— Oui, ça explique, mais c'est pas une raison pour... Du jour au lendemain, je reconnaissais pus mon ami. Ça a été comme une vraie tempête qui veut pas s'arrêter. Quelques jours après les funérailles, Marco était déjà pus le même gars. Y'a même donné tous ses crayons à Olivier...

— Ses crayons?

— Oui... Ses pastels, ses fusains, ses feutres... Tout y a passé. Pour un gars qui passait le plus clair de son temps à faire des dessins pis des caricatures, c'était pas normal... C'est là que j'ai pensé que la mort de sa mère était plus qu'une simple tristesse. Pis pendant l'été, il s'est mis à prendre de la dope... Moi j'pense que c'est la façon qu'il a trouvé pour oublier. J'ai essayé d'y faire comprendre que c'était pas correct, que ça rimait à rien, mais y m'a envoyée promener...

— C'est peut-être un peu normal, dans l'état où il se trouvait...

— J'sais ben, mais n'empêche... C'est pour ça que j'suis restée son amie pareil. J'me dis que si j'veux l'aider, c'est en restant proche de lui.

Puis, avec une tristesse subite dans la voix, elle conclut:

— Mais j'me rends compte que j'ai pas vraiment réussi. Hier, quand j'ai laissé Marco, j'étais ben sûre qu'il allait dormir toute la nuit... Si y'a été malade comme son père le dit, c'est qu'il s'est relevé pour prendre encore de la *mess*... Pourtant, j'étais ben sûre qu'y en avait pus...

Il y a tellement de déception et de culpabilité dans ces quelques mots que Pauline ne peut s'empêcher de venir jusqu'à l'adolescente. Et posant une main sur son épaule:

— Tu n'y es pour rien, Sonia. Malgré toute la meilleure volonté du monde, si Marco avait décidé de prendre encore plus de drogue, c'était son choix. Discutable, sûrement, j'en conviens. Mais ça reste son choix quand même... L'important, ce matin, c'est qu'il sache que des gens tiennent à lui. À commencer par son père.

— Sûr que son père doit tenir à lui... Marco est seul chez eux... Pis son père est ben correct. Je le connais depuis que j'suis toute petite.

— Tu vois. Déjà il y a, dans cela, quelque chose pour bâtir l'avenir. Ensuite il y a toi, aussi. Je suis certaine que Marco tient à toi. Ça se voit quand il te regarde. Et aussi à la façon qu'il respecte ce que tu dis. Rappelle-toi, hier, sur la plage. C'est évident que tu as beaucoup d'importance pour lui. À l'âge que vous avez, et même plus vieux, tu sais, l'amitié est souvent la chose la plus essentielle qui soit. Même au-delà de la famille. T'es probablement la personne la mieux placée pour l'aider. Mais en même temps, il faut que tu comprennes que tu n'es pas responsable de lui.

— Qu'est-ce que tu veux dire par là?

— C'est bien simple: Marco a sûrement besoin de ton amitié, de ta présence dans sa vie. Malgré tout, c'est lui, et lui seul, qui peut décider quand et comment il veut l'utiliser. Comme je le dis souvent, Sonia, les confidences ça s'accueille, ça ne se provoque pas. Tout ce que tu as à faire, c'est d'être disponible.

— Okay, je comprends. Dans le fond, c'est la même chose pour tout le monde: quand on n'a pas envie de parler, y'a rien à faire... Ouais... j'comprends.

Puis, levant la limpidité de son regard vers Pauline, elle ajoute:

— Mais comment savoir qu'il ne recommencera pas une connerie comme celle d'hier? Tu sais, j'ai vraiment l'impression qu'il avait décidé d'en finir...

Pendant une minute ou deux, Pauline laisse le silence imposer son propre discernement. Sentant que Sonia attend une réponse d'elle, l'enseignante reprend tout doucement:

— Peut-être bien que oui, mais peut-être, aussi, que ce n'était qu'un accident. Il n'y a que Marco qui puisse répondre à cette question. Et là encore, il a le choix d'y répondre ou non... Mais ne t'inquiète pas: je crois sincèrement qu'il va finir par le faire. Tu sais, quand on revient d'un voyage au cœur de ses émotions, de ses peurs les plus intimes, souvent on a envie d'en parler. Ne fut-ce que pour se sentir secondé. Même si ce qu'on a fait est tout croche... Laisse-le venir, Sonia. Fais-lui savoir ton inquiétude, l'affection que tu as pour lui et attends... Je suis certaine qu'il va te faire signe à un moment donné.

Puis, laissant la conviction teinter ses propos, elle enchaîne:

— Et pour ce qui est de l'immédiat, comme tu le disais si bien, présentement, Marco est entre bonnes mains. Il y a des tas de spécialistes qui vont l'aider. Et qui vont soutenir son père pour qu'il puisse l'aider à son tour. Faire confiance à la vie, Sonia. Il faut faire confiance à la vie.

— Peut-être que t'as raison.

En entendant la cloche sonner, Sonia se lève vivement, s'étire longuement, les bras au-dessus de la tête. Puis, ébouriffant sa tignasse d'une main adroite, elle lance d'un ton rempli d'espoir et d'assurance:

— Quand il ira mieux, si on lui donnait une boîte de pastels, peut-être qu'il comprendrait... Qu'est-ce que t'en dis ?

Pauline lui rend son sourire. Et, avant que la salle ne soit envahie par sa bande de chiens fous, elle approuve en se dirigeant vers son bureau pour récupérer ses cahiers, car elle doit changer de local.

— Je pense que tu es une fille « ben correcte », comme tu le dis. Je me fie à toi, Sonia: quand Marco ira mieux, je lui demanderai de me faire une couple de caricatures pour décorer la classe...

Et l'esprit étant ce qu'il est, capable parfois des coq à l'âne les plus saugrenus, sur le mur du fond, Pauline vient d'imaginer une immense affiche de Céline Dion... La plus extravagante, la plus satisfaisante des caricatures !

7

C'est un peu comme si la discussion avec Sonia avait enlevé un poids de ses épaules. En faisant le point pour l'adolescente, Pauline est consciente qu'elle le faisait aussi pour elle et cela lui a permis de voir les choses avec un recul bénéfique: pas plus que Sonia, Pauline Ferland n'est responsable de ce qui arrive à son jeune étudiant. Hier soir, même si elle avait été d'une disponibilité à toute épreuve, cela n'aurait rien changé à la situation. Malgré ses tendances naturelles qui font que Pauline a la fâcheuse manie de toujours s'en faire pour les autres, ce qui est bon pour Sonia se doit de l'être pour elle également.

Faire confiance à la vie, n'est-ce pas Pauline? et se contenter de lui donner un petit coup de pouce au besoin. Mais ne pas forcer la note. Trop ne vaut guère mieux que pas assez.

Tranquillement, petit à petit, c'est ce qu'elle est en train de comprendre depuis hier. Pour elle comme pour les autres.

C'est en se répétant ces consignes que Pauline se dirige vers la salle des professeurs pour le repas. Elle meurt littéralement de faim et son estomac n'arrête pas de gargouiller depuis plus d'une heure.

Comme quoi sa mère avait tout à fait raison: si on veut attaquer la journée du bon pied, il faut déjeuner.

Grosse ou pas grosse!

Pauline se promet bien de ne pas répéter l'expérience: elle a eu tellement peur que toute la classe n'entende les gargouillis que son ventre renouvelait jusqu'à la nausée. Au point où elle n'arrivait plus à se concentrer sur le cours à donner. Surtout qu'elle se trouvait devant un nouveau groupe. C'était encore plus traumatisant que de savoir que l'on se moque de ses bourrelets dans son dos! Dès le premier son de la cloche, Pauline rapatriait prestement tous ses biens et filait hors de la classe comme une voleuse prise en flagrant délit.

Par la force de l'habitude, chacun des enseignants regagne la place qui est la sienne. On se salue, on s'interroge sur le nouveau groupe dont on est responsable, on commente, on rit. Puis, chacun se retournant vers ses voisins immédiats, les discussions se font moins bruyantes. Le tintement de l'avertisseur du micro-ondes pointille les conversations, pendant qu'une bonne senteur de soupe et de ragoût envahit la pièce.

Avec un plaisir difficile à dissimuler, Pauline ouvre son sac à goûter. Enfin, elle va pouvoir se mettre quelque chose sous la dent.

Pendant qu'elle entame son sandwich, Rachel la rejoint, un bol de soupe fumante à la main.

— Sais-tu à quoi j'ai pensé, ce matin? fait-elle en soufflant sur le bouillon brûlant.

Et sans attendre de réponse, elle enchaîne:

— Pourquoi est-ce que tu ne viendrais pas manger à la maison, ce soir? On est vendredi et Germain travaille de soir cette semaine. Il ne rentre qu'à minuit et demi. On pourrait s'offrir une vraie veillée de vieilles filles. Qu'est-ce que tu en dis?

À croire que Rachel a tout deviné! Pauline se dépêche d'avaler sa bouchée, lève un large sourire vers son amie.

— Ce que j'en dis? Tu as là une merveilleuse idée...

Puis, malicieuse, elle confirme:

— C'est en plein ce qu'il me faut: une veillée de vieilles filles.

En disant ces mots, Pauline se demande si elle est sincère ou si elle ne se moque pas encore.

D'elle-même, de Rachel, de la terre entière. Sac à plumes que cela fait du bien de se sentir un tantinet sarcastique! Même envers soi-même.

Mais, chose certaine, elle se sent libérée et la perspective d'une soirée en tête-à-tête avec Rachel n'est pas pour lui déplaire. C'est avec un enthousiasme incontestable qu'elle ajoute:

— Qu'est-ce que j'apporte? L'entrée ou le dessert?

Rachel lui renvoie un regard pétillant de plaisir anticipé.

— Pourquoi pas les deux?

Pauline éclate de rire, définitivement

rassérénée. La journée risque bien de se terminer comme elle a commencé: de belle façon.

— D'accord ! Saumon fumé et baklavas, ça t'irait ?

Devant le sourire d'appréciation de Rachel, Pauline pousse un profond soupir de contentement.

Le soleil inonde la façade du magasin général de l'autre côté de la rue, quelques rires montent de la cour de récréation et l'air frisquet qui se coule par la fenêtre entrouverte a quelque chose de vivifiant.

Que peut-elle demander de plus, en ce moment ?

De nouveau, elle soupire de bien-être. Marco vient probablement de croiser sur sa route quelqu'un qui va l'aider, Sonia a retrouvé son sourire, les jeunes de sa classe sont heureux. De plus, la soirée sera des plus agréables et... sa robe lui sied à ravir !

Oui, vraiment, que pourrait-elle vouloir de plus, Pauline Ferland, je vous le demande un peu ?

D'un coup de dents gourmand, elle avale le reste de son sandwich au jambon, regrettant de l'avoir déjà fini. Puis, elle se réconforte en pensant à la bonne bouteille de vin qu'elle choisira pour accompagner le saumon. Un Muscadet bien frais... Finalement, d'une chose à l'autre, voilà un vendredi comme elle les aime !

* * *

Les cours son terminés. En un clin d'œil, la classe s'est vidée dans les rires, les planifications et les promesses de se téléphoner: c'est vendredi pour tout le monde !

Le cœur léger, Pauline, quant à elle, vient de décider qu'elle n'apporterait aucun ouvrage à la maison pour la fin de semaine. Le temps des innombrables corrections sera là bien assez tôt. Pourtant, comme elle n'a pas à retourner à Baie-des-Sables, elle n'a pas, non plus, envie de quitter la classe immédiatement. Elle doit se rendre chez Rachel uniquement pour dix-huit heures trente.

Assise à son pupitre, elle écoute décroître le bruit des voix et des courses dans le couloir. Puis, le grondement des autobus remplit l'air autour de l'école, confirmant que la journée est finie. S'étirant longuement, les bras au-dessus de la tête, Pauline s'appuie confortablement contre le dossier de sa chaise. Ensuite, elle rabat les mains sur le pupitre devant elle.

L'année est commencée et elle s'annonce belle et bonne. Alors, se relevant, elle ouvre deux fenêtres pour aérer la classe et opte pour un dernier café avant de quitter l'école. Après, elle ira faire les courses pour le repas.

Vendredi, en fin de journée, il n'y a que Raoul qui soit à la salle des professeurs. Ici aussi, on a ouvert les fenêtres pour changer l'air de la pièce. L'odeur rance des cigarettes persiste encore et Pauline se pince le nez quand elle entre dans la salle.

— Ouah... Je n'arrive pas à comprendre qu'on puisse prendre plaisir à faire de la boucane... Ça pue tellement...

— À qui le dis-tu !

Tout en parlant, Raoul s'est retourné contre le comptoir pour enlever le couvercle de la cafetière et la pencher dans l'évier. Pauline échappe un cri:

— Attends ! Je voudrais un dernier...

— Trop tard !

Raoul tourne un regard consterné vers Pauline.

— Je regrette...

Puis, il éclate de rire.

— Et puis non, je ne regrette pas. C'était juste un vieux restant tout froid qui aurait sûrement goûté le fond de casserole... Donne-moi le temps de laver la cafetière et je t'en offre un, café, tout frais, tout chaud. Au *Bistro Roberto.* Ça te va?

Pauline n'hésite pas un instant, elle adore ce petit restaurant italien.

— Le temps de prendre mes affaires dans la classe et je reviens tout de suite.

Le *Bistro Roberto* est à l'autre extrémité de la rue principale de Grande-Baie, en surplomb sur la plage avec une vue imprenable sur la mer. Une large baie vitrée invite à la contemplation et à la détente.

Pourtant, en pénétrant dans la salle à manger, Pauline ne remarque qu'une seule chose: on a renouvelé la décoration depuis le printemps dernier. Elle se donne à peine le temps d'apprécier le décor souligné par le frôlement du soleil couchant qui réveille la patine des boiseries. Car, même si le coup d'œil vaut son pesant d'or, l'immensité de la mer miroitant en arrière-plan, Pauline comprend brutalement que jamais elle ne pourra se glisser dans l'une de ces chaises cannelées délicates aux appuis-bras joliment recourbés.

Se sentir bien dans sa peau ne règle pas instantanément tous les problèmes, n'est-ce pas Pauline? L'amertume d'une violente déception lui monte aussitôt à la bouche.

Elle ne sait que dire, confuse. Et n'ose surtout pas lever le front vers Raoul qui, malgré tout, a eu le temps de percevoir son regard: un curieux mélange de désillusion, de colère et d'humiliation. Une interprétation presque parfaite de la tristesse à l'état pur.

Alors lui, le célibataire qui s'en vante faute de mieux, prend les devants, avant que Pauline ne puisse dire quoi que ce soit pour sauver la face. Faisant un pas de plus, il lève le bras pour attirer l'attention du serveur qui s'affaire derrière le bar.

— Monsieur?

Et comme le jeune homme se tourne vers lui:

— Félicitations ! le décor est fabuleux... Je n'étais pas venu depuis l'été. Bravo... Mais comme confort, on pourra repasser. Des petites chaises droites, au dossier étroit... Vous n'auriez pas gardé un ou deux de ces merveilleux fauteuils fleuris que vous aviez avant ? Je viens de me taper une longue journée d'enseignement, debout, et c'est justement la perspective de me vautrer dans vos fauteuils confortables qui m'a attiré ici.

Le serveur éclate de rire.

— Vous aussi ? Ma parole, c'est de la conspiration ! Vous saurez que vous n'êtes pas le premier à nous faire cette remarque. Je vais vous arranger ça... Un moment.

— Merveilleux...

Et se tournant vers Pauline:

— Ça te convient ? Oui ? Alors nous allons prendre la table du fond, près de la fenêtre...

Pauline se hasarde enfin à lever les yeux vers Raoul, à l'instant même où celui-ci glisse sa main sous son bras pour la guider vers la table. Un éclat de reconnaissance miroite au fond du regard de la grosse femme. Un peu comme la lumière dansante du soleil qui festonne la crête des vagues, à quelques pas d'eux.

Jamais, de toute sa vie, elle n'a eu autant envie de dire merci à quelqu'un.

D'un commun accord, ils ont décidé de remplacer le café par un apéro. Puis un deuxième a suivi, tout naturellement.

Curieux homme, toujours en drôleries et en images de style, Raoul est à décrire les élèves de sa classe avec moult détails cocasses. On pourrait s'en tenir à la surface des choses et le trouver tout simplement drôle, plein d'esprit, voire même sardonique par moments. Pas Pauline. Elle devine que pour arriver à une description des jeunes aussi fine, aussi précise en si peu de temps, c'est que Raoul cache en lui un fin psychologue et un observateur hors pair. Et surtout, un homme d'une grande sensibilité.

Subtilement, s'entrecroisant aux mots que Raoul débite en faisant le clown, Pauline ressent à nouveau la lucidité chaleureuse du regard qui a croisé le sien pendant une fraction de seconde au moment de leur arrivée ici. La délicatesse du geste qui a suivi est le plus éloquent témoignage de cette prévenance qui semble naturelle chez lui. Malgré les boutades qui épicent le flot de ses habituels monologues. Alors Pauline se prête au jeu, le questionne, s'intéresse. Par plaisir, par soif de connaître. Tout en l'écoutant, elle constate, un peu surprise, que c'est la première fois qu'elle a l'occasion de se retrouver seule avec Raoul et elle a la très nette impression que, finalement, elle ne savait pas grand-chose de lui. Seule l'image du célibataire endurci, à l'humour sarcastique, s'était imposée entre eux pendant toutes ces années. Image peut-être bien réelle, fidèle à certains côtés de sa nature, mais combien incomplète.

Sans trop savoir pourquoi, Pauline a la drôle d'envie de mieux le connaître. Elle lui répond, s'attarde à ses reparties, s'amuse de ce chassé-croisé pince-sans-rire entre deux vieux amis qui apprennent à se découvrir.

L'angélus, sonné au clocher de l'église et amené jusqu'à eux par la brise, la fait tressaillir.

— Sac à plumes ! Déjà six heures... Je

regrette, Raoul, mais je dois partir.

Elle se tourne à demi, attrape sa veste jetée négligemment sur le dossier du fauteuil. Raoul fait une petite grimace.

— Pourquoi partir? Moi qui pensais qu'on pourrait manger ensemble...

Mais Pauline repousse déjà son siège.

— Oui, on aurait pu. Mais pour l'instant, Rachel m'attend.

— Dommage... On se reprend la semaine prochaine?

Par réflexe, Pauline a failli dire non, en puisant parmi ses mille et une excuses habituelles. Elle se penche pour ramasser son sac à main. Sentant la chaîne en or de sa mère frôler sa peau quand elle se relève, elle hésite, puis ose un sourire.

— Pourquoi pas? On en reparle lundi?

Raoul lui rend son sourire. Et se levant à son tour, il lui tend la main.

— D'accord! On en reparle lundi... Bonne fin de semaine, Pauline.

— Toi aussi... À lundi...

En passant la porte, Pauline entend la voix de son compagnon de travail demandant le menu. Et elle s'entend pousser un long soupir habillé d'un léger voile de déception. Puis elle sourit. Ce n'est que partie remise, on en reparle lundi. Une façon comme une autre de faire durer le plaisir.

Quand elle attaque le trottoir à longues enjambées, elle n'a plus qu'une préoccupation en tête. De quoi avons-nous parlé, ce midi ? Saumon fumé et baklavas ?

— Sans oublier le Muscadet, murmure-t-elle en pressant le pas vers l'épicerie doublée d'une Société des Alcools. Grouille, Pauline. Tu vas être en retard...

* * *

Rachel l'attendait avec impatience. Il est près de dix-neuf heures et comme Pauline est d'une ponctualité royale, elle commençait à s'inquiéter. Après un coup discret frappé sur le battant, Pauline ouvre enfin la porte extérieure.

— Coucou, c'est moi...

Puis, passant la tête dans l'entrebâillement de la porte française qui délimite le salon, elle ajoute:

— Ah, t'es là... Le temps de déposer mon sac à la cuisine et j'arrive !

Du gros chaudron posé sur la cuisinière s'échappe le parfum envoûtant d'un plat mijoté au vin. Résistant à grand-peine à l'envie de soulever le couvercle (n'oublions surtout pas qu'elle n'a qu'un ridicule sandwich au jambon dans l'estomac. Sac à plumes, ce n'est pas grand-chose !), Pauline se précipite vers le séjour.

— Hum ! Ça sent bon ici...

Puis, gourmande:

— Qu'est-ce qu'on mange ?

Rachel éclate de rire.

— Curieuse... Une fricassée de veau, façon Rachel... Tu m'en donneras des nouvelles... Tu veux un apéro ?

Simple politesse: Pauline ne prend jamais d'alcool.

— Non merci, c'est déjà fait...

Et en répondant de la sorte, un reflet subtil traverse son regard. C'est bien la première fois que Pauline se sent au-dessus de ses affaires comme en ce moment et heureuse de l'être. Elle dirait même qu'elle se sent gamine, presque effrontée. Laissant volontairement planer le doute, elle s'installe dans son fauteuil habituel et conclut d'une voix légèrement impertinente:

— Mais je prendrais bien un peu de ce vin blanc que tu gardes toujours au frigo avant de préparer les assiettes pour l'entrée.

Elle a l'intonation de celle qui n'a surtout pas envie de donner des détails. Rachel tourne un regard surpris vers son amie. Mais qu'est-ce que c'est que ce ton, semblable à celui qu'elle employait ce matin ? Et en plus, Pauline aurait déjà pris un apéritif? La chose est surprenante, elle qui ne boit presque jamais, sinon un peu de vin à l'occasion. Rachel ne comprend pas. À un point tel qu'elle en reste muette, franchement déconcertée. Mais que se passe-t-il donc aujourd'hui ?

Une demi-heure à parler de tout et de rien. De la classe, de la douceur du temps, de ses attentes d'enseignante devant l'année qui commence. Banalités de septembre pour deux professeurs. Ensuite, succèdent quelques minutes de fou rire en préparant le couvert et les entrées.

Comme un courant de nervosité inusité, incompréhensible, qui dresse son invisible paravent entre elles.

Puis, on passe à table, toujours coincées dans des lieux communs sans grand intérêt. Pauline débouche le Muscadet, y goûte, puis tend la bouteille de l'autre côté de la table, à bout de bras.

— Non, Pauline... Pas de vin pour moi...

Rachel a placé une main au-dessus de son verre. Aussitôt, les rires tombent. Pendant quelques secondes, Pauline soutient le regard de Rachel, puis lui rend son sourire. Brusquement, les deux femmes redeviennent ce qu'elles ont toujours été entre elles: sincères, un brin sérieuses, sages sans nécessairement vouloir l'être. Si Rachel ne prend pas de vin, c'est qu'elle est enceinte. Et, cela, c'est un secret qu'elles partagent et qui rejoint l'amitié véritable qui les unit. Du coup, l'une comme l'autre n'ont plus envie de s'en tenir aux apparences, à la surface des choses.

L'essentiel a repris sa place entre elles. Tout doucement, comme si cela allait de soi.

Il y a tellement de mots qui ne demandent qu'à être dits. Ils sont là, entre elles, dans la pièce, attendant qu'on les saisisse, qu'on les apprivoise, qu'on les accepte avant de les offrir à l'autre.

Pendant de longues minutes, elles mangent sans parler, se contentant de sourire de temps à autre. Le saumon était divin. La fricassée est tendre et le vin coule, frais comme une eau de source. Dans un coin de pénombre, à côté de la porte arrière, l'horloge égrène ses tic-tac pour meubler le silence de la demeure. Ce silence qui est toujours de connivence entre Rachel et Pauline. À la fois facile et agréable, indulgent, préparant la confidence...

C'est Pauline qui se décide enfin, rattrapée par les secondes qui tombent, devenant temps qui file au rythme de la vieille horloge.

— Comment ça se passe pour toi? Pas trop de malaises?

— Un peu. Mais je suis tellement heureuse...

Puis, sur une impulsion:

— Viens, suis-moi.

Rachel entraîne Pauline au second étage, se dirige vers sa chambre, ouvre le premier tiroir de sa commode.

— Regarde...

Dans sa paume, une sorte d'étui en plastique blanc qu'elle tient dans sa main en coupe, comme elle le ferait d'un joyau précieux. Avec respect, avec soin. On dirait un petit cadre au centre duquel Pauline peut voir une croix minuscule à l'encre bleue...

— Tu vois, Pauline, c'est cela que le pharmacien m'a remis quand j'ai passé mon test de grossesse, fait Rachel en refermant les doigts sur l'étui et en portant la main contre sa poitrine. Cette croix veut dire que le test est positif, que je suis enceinte. Et pour moi, c'est un peu l'image de mon bébé. Une sorte de photo... C'est à partir du moment où je l'ai vue que j'ai décidé d'y croire vraiment.

Et au coin du regard qui se lève vers Pauline, brille une eau d'émotion, aussi éclatante, aussi pure qu'un diamant de grand prix.

Elles sont revenues au salon. Pauline finit la bouteille de vin. En soldat, Rachel refusant catégoriquement de partager avec elle. Par manque d'habitude, Pauline a la tête en folie et les jambes en guenille.

Pourtant, en même temps, elle est d'une lucidité incroyable. Elle a l'impression que tous ces mots qu'elle retient en elle depuis si longtemps sont enfin prêts à voir le jour. Elle les imagine clairement se bousculant dans sa tête et dans son cœur avec une logique déconcertante.

Cette chaleur bienfaisante que procure parfois l'alcool et qui délie la langue... Les mots sont peut-être devenus une présence envahissante depuis hier — oui peut-être —, mais en même temps combien réconfortante avec toute l'espérance incrédule qu'ils suscitent.

Rachel a parti une bonne flambée et les bûches crépitent joyeusement. Le vent courtise la fenêtre à petits coups discrets, jouant avec une branche du vieux pommier, lourde de fruits à moitié mûrs. Le salon sent bon le bois d'érable s'emmêlant subtilement à l'odeur de fricassée qui persiste.

Et Pauline va se mettre à parler. Elle s'y prépare, soutenue par la complicité silencieuse de Rachel, recroquevillée à l'autre bout du divan.

— Rachel... Ce matin, quand tu disais que ma robe m'allait à ravir, qu'est-ce que tu voulais dire, au juste? Que j'avais l'air moins grosse?

Le mot « grosse » s'est imposé. Lourd de sens et d'émotions cachées. Énorme, presque déplacé, parce que jamais employé. Néanmoins, il a coulé de source, sans brutalité aucune, venant du plus profond de la réalité de Pauline Ferland. Une réalité qu'elle a enfin envie de partager. Par intuition, Rachel s'y attendait. Et comme elle est franche...

— Non... pas vraiment... On est ce qu'on est, n'est-ce pas Pauline? Ça disait juste ce que ça veut dire: cette robe t'habille bien. Tu as l'air en confiance, quand tu la portes... Et je crois que c'est à ce niveau-là que se joue l'important, tu sais.

À gestes lents, du bout des doigts, Pauline fait tourner son verre entre ses mains. S'attarde au reflet verdâtre qui chatoie le vin.

— L'important? Qu'est-ce qu'il y a d'important, peux-tu franchement me le dire? Que j'aie l'air en confiance ou pas, en quoi cela change-t-il quelque chose? La grosse Pauline restera toujours la grosse Pauline. Ça aussi c'est important, non? Ça crève même les yeux.

Sans trop y penser, par impulsion, Pauline dépose son verre sur la table à café, se relève et pivote sur elle-même, les bras grands ouverts.

— Regarde, Rachel. Regarde-moi comme il faut... Où crois-tu que se situe l'important, pour moi? Je suis grosse, Rachel, énorme même. Alors laisse faire la confiance en soi, veux-tu...

Pendant quelques instants, Rachel soutient le regard de Pauline. Que de douleur derrière cette constatation amère! Pourtant, Rachel y sent une faille. Toute petite, minuscule mais bien présente. Comme si à travers cette évidence, il pointait une lueur d'espoir. Elle répond d'une voix très douce:

— Tu crois vraiment à ce que tu viens de dire?

— Mais oui... Ai-je le choix?

— On a toujours le choix, Pauline. Et si ce que tu viens de dire est vrai, bien des gens devraient rester chez eux... Dans ce cas-là, Raoul sera toujours aussi chauve et Simone aura toujours un ou deux gros boutons au menton.

C'est comme si un ballon venait subitement d'éclater. Avec fracas. Pauline se rassoit et échappe un petit sourire malgré elle. N'est-ce pas ce qu'elle souhaitait entendre?

— Peut-être...

— Non, Pauline, pas peut-être... Vas-tu sincèrement cesser de parler à Raoul parce qu'il a la tête comme un œuf? Ou te moquer de Simone quand elle met un peu trop de fond de teint? Allons donc! L'essentiel se joue ailleurs et tu le sais aussi bien que moi.

— Pour la plupart des gens, peut-être. Mais, moi? Je répète ma question: m'as-tu vraiment regardée, Rachel... Ce n'est pas seulement un petit bouton qu'on camoufle avec un peu de maquillage.

— Et puis après? Quand je pense à toi, Pauline, ce n'est pas pour essayer de deviner ton poids. C'est quoi, l'idée? C'est la femme généreuse qui s'impose à moi. L'amie, la complice.

— Peut-être bien...

— Encore ! Pourquoi tous ces peut-être, ce soir ?

— Parce que j'essaie peut-être de comprendre.

— Arrête... Là, ça en fait beaucoup. Beaucoup trop, même. L'important, l'essentiel c'est d'être beau en dedans. Le reste n'est qu'une façade plus ou moins fragile selon les gens. C'est toi la première qui le dis: regarder la situation par les yeux de l'autre avant de juger.

— Justement... par les yeux de l'autre. De tous les autres. Comment me voient-ils, les autres ? Même si l'essentiel ne se situe pas là, il passe quand même par là à un moment donné.

Pauline ferme les yeux quelques secondes. Ne s'est-elle pas regardée hier, par les yeux d'une autre ? Et qu'a-t-elle vu ? Qu'a-t-elle choisi de voir ? Et si malgré ce qu'elle en pense, les autres l'avaient toujours regardée avec les yeux de l'acceptation ? Serait-elle passée à côté de sa vie à cause d'une mauvaise interprétation des choses ?

Un long vertige l'oblige à relever les paupières. Elle ne sait plus trop si c'est à cause de l'alcool ou de toutes ces questions sans réponse qu'elle se sent si étourdie. Instinctivement, elle repousse le verre de vin déposé sur la table devant elle. Elle en a assez pour ce soir.

Respectant ce silence, Rachel se déplie, vient jusqu'au foyer, replace une bûche dans l'âtre avant de reprendre sa place. Puis, encore une fois, d'une voix très douce:

— On ne pourra jamais savoir ce que l'autre voit réellement. Ou décide de voir. Cela lui appartient. On peut juste être sincère. Dans le fond, Pauline, tu ne crois pas que c'est uniquement ce que les autres attendent de nous? La sincérité.

— La sincérité... Je sais bien que tu as raison. Mais si tu savais à quel point j'ai peur que cela ne soit qu'accessoire, dans mon cas. Que, finalement, ça ne veuille rien dire. Hier... hier je pense que je me suis vue par les yeux d'une autre. Je... Je comprends ce que tu es en train de me dire, car je crois que je suis en train d'accepter certaines choses, moi aussi... Laisse-moi te raconter...

Pendant quelques instants, l'image de celle qu'elle a voulu regarder comme une étrangère lui revient en mémoire. Ce corps de femme, lourd et différent, qu'elle a décidé de trouver beau dans sa différence.

Le regard fasciné par la flamme dansante, à mots feutrés, comme si elle devait faire appel à un souvenir fort lointain, Pauline se met à décrire celle qu'elle a croisée au fond d'un miroir. La surprise ressentie, le besoin de prendre un certain recul face à cette étrangère, l'acceptation de ce corps parce que, dans un premier temps, elle ne le voyait pas comme le sien. Puis, la tendresse qui lui est venue quand elle a choisi de se reconnaître. Et cette forme de complicité amoureuse qu'elle a ressentie avec elle-même.

— J'aimerais tellement que ce soit la même chose pour tout le monde...

— Mais c'est la même chose pour la plupart des gens. On veut tous être aimés et on est prêt à aimer les autres tels qu'ils sont, quoi qu'on en dise. C'est bien certain qu'il y aura toujours des imbéciles. Et puis après ?

— Et puis après? J'ai l'impression que toute ma vie est fonction de ces imbéciles.

La place que je prends, l'air que je respire, les regards que je croise, les remarques que j'entends dans mon dos. La différence fait peur, Rachel. Et bien peu de gens sont prêts à l'affronter.

— Je ne suis pas si certaine de ce que tu dis, Pauline. Regarde tous les amis que tu as.

Pauline ne répond pas immédiatement. Les amis ? À part Rachel, a-t-elle vraiment des amis ? En un coup de vent, confrères, élèves, parents traversent son esprit. Peu y restent gravés. Alors, Pauline pousse un profond soupir avant de reprendre, une pointe de tristesse dans la voix :

— Oui, tu as raison, à côté des imbéciles, il y a les rares amis qui sont les miens.

Mais, sur ce point, Rachel n'est pas d'accord. Elle aussi connaît confrères et élèves. Elle sait fort bien ce que tous pensent de Pauline. Sa disponibilité, son écoute, sa simple présence. Elle se permet donc de hausser le ton.

— Les rares amis ? Là, t'es injuste, Pauline, parce que ce n'est pas vrai. Comme je le disais ce matin, ça ne te ressemble pas de parler comme ça... Pas du tout. Où est la femme fonceuse, celle qui a toujours le mot pour rire, la délicatesse d'une petite pensée, seulement pour faire plaisir? Ce ne peut être uniquement une façade. Sûrement qu'il y a un fond de vérité dans l'image projetée par celle que je connais depuis si longtemps. T'es une femme merveilleuse, Pauline, capable des gestes les plus extravagants si c'est pour faire plaisir ou pour aider.

— Tu l'as dit: pour faire plaisir... T'es-tu déjà posé la question, Rachel? As-tu une seule fois dans ta vie cherché à savoir pourquoi j'agissais ainsi? Bien moi, je viens de me la poser, la question... Et j'ai un peu peur d'y répondre. C'est comme si tout était en péril en moi...

— Non, Pauline, tout n'est pas en péril. Tu ne fais que remettre certaines choses en question. Et quand on se remet en question, souvent nos vérités s'embrouillent. C'est tout. Peut-être bien que tu aurais dû le faire avant, ça aurait été moins pénible. Je ne le sais pas. Mais l'important, c'est que tu y sois parvenue. Ça fait partie du respect que l'on se doit à soi-même. Prendre le temps de s'aimer, Pauline. Et pour s'aimer, il faut se sentir bien en dedans.

— Se sentir bien en dedans... Si je te disais que depuis hier, c'est exactement ce que j'ai envie de faire ? M'aimer, m'accepter. Avec mes bourrelets et mes grosses cuisses. Tout d'un coup, après avoir eu le courage de me regarder franchement pour une fois, ça m'a paru si simple. Tellement facile que je ne comprends pas que cela ne me soit pas arrivé avant. Et ça me fait peur.

— Peur ? Ben voyons donc ! Tu ne devrais pas avoir peur. Parce que j'ai le sentiment que tu as réussi. Un petit rien de subtil qui fait toute la différence. Et je l'ai très bien senti ce matin... C'est probablement pour ça que j'ai eu envie de dire que ta robe t'allait bien. Ça se sent, ces choses-là. Ça se voit. Et sois assurée que les autres, comme tu dis, vont le sentir eux aussi. Tout comme moi.

— Tu crois ?

— C'est certain. C'est exactement ce que je te disais, il y a quelques minutes: quelqu'un en confiance, ça attire toujours.

Encore plus qu'un beau visage ou un corps de mannequin. Ça crée une espèce de magnétisme.

— Facile à dire. T'as rien à envier à personne, toi.

— Et alors? Ça n'a rien à voir. J'espère que Germain ne m'aime pas uniquement pour mon corps ou mon visage. Je ne suis pas un beau trophée de chasse, Pauline. Un beau morceau qu'on est fier d'exhiber. Pour moi aussi, les années vont finir par faire leur travail. La seule chose que je souhaite, c'est que Germain continue de m'aimer à travers mes rides et mes différences. Toi, Pauline, est-ce que t'es mon amie juste parce que je suis une belle femme?

— Tu sais bien que non.

— Alors? Dis-toi bien que la beauté aussi a quelque chose de dangereux.

Pauline ne répond pas. À nouveau, le silence enveloppe le salon. Un bout de bois incandescent trébuche dans l'âtre, réveillant les coins d'ombre de la pièce. Vingt-deux heures sonnent à l'horloge de la cuisine. C'est Rachel qui reprend:

— Dans le fond, Pauline, il n'y a que toi

qui puisses faire les bons choix pour toi. Personne d'autre. Et si pour te sentir en paix avec toi-même tu as besoin de recourir à certains artifices, pourquoi ne pas en profiter?

— Artifices? Pour moi? J'ai bien trop une image de bonne santé pour...

— Ça, c'est la réponse facile, interrompt Rachel. Pourquoi ne pas admettre que tu aies pu te tromper, face à toi-même? Il n'y a aucune honte à essayer de plaire, Pauline.

— Tu crois?

Puis, au bout d'un bref silence:

— Tu as raison.

Et finalement, d'une voix d'adolescente:

— Mais je ne connais rien aux artifices, moi. Comment peut-on changer notre image? Dans le fond, est-ce que ça se change, une image?

Devant cette interrogation incrédule, mais en même temps pleine d'espérance naïve, Rachel s'anime. Depuis le temps qu'elle espère une confrontation comme celle de ce soir!

— Rien de plus facile. Maquillage, beaux vêtements, petits accessoires... Ça fait longtemps que je te le dis, gâte-toi un peu. Tu sais, personne ne peut échapper à ce besoin de plaire. Mais pour séduire les autres, il faut commencer par se séduire soi-même. À chacun de trouver les moyens qui lui sont propres.

Et si Rachel avait raison ? Brusquement, Pauline a tellement envie d'y croire. Alors, elle ajoute d'une toute petite voix:

— Je n'ai rien de tout ça... Du maquillage, des beaux vêtements...

— Et puis? Tu parles d'un raisonnement ! On va t'en acheter, Pauline. Au train de vie que tu mènes, je suis certaine que tu caches un pécule confortable dans un quelconque bas de laine. Toutes les deux, on va faire une orgie de magasinage... J'adore ça !

Pauline ne peut s'empêcher de rire. Un tout petit rire plein de retenue, presque incrédule.

— Mais je ne connais rien au maquillage... Je... J'ai toujours eu peur d'avoir l'air ridicule.

— Ridicule... Allons donc... Si tu me voyais le matin, les yeux bouffis et le teint blême, tu comprendrais bien des choses.

— Oui, mais...

— Il n'y a pas de mais qui tienne, Pauline Ferland. Je ne parle pas de te grimer, je parle de te maquiller. C'est toute la différence subtile dans l'art de se faire belle. Allez, viens, suis-moi...

— Où ça?

— En haut... Je vais te montrer la femme qui se cache sous les traits de Pauline Ferland. Tu vas voir que c'est une très belle femme. J'ai l'intuition pour ces choses-là. Allez, debout. C'est tout de suite que tu vas recevoir ta première leçon de maquillage!

— Si tu veux.

Mais le timbre de sa voix a quelque chose de pathétique. À la fois triste et résigné, craintif et plein d'espérance.

Le cœur gonflé du désir de se plaire enfin, réellement, sans l'ombre d'un doute, Pauline emboîte le pas à son amie.

Et pourquoi pas?

Un long soupir tremblant gonfle le devant de sa robe. Encore une fois, si Rachel avait raison?

Elle l'entend dans la salle de bain qui ouvre tiroir et placard. Et ne peut retenir un sourire moqueur. Quelle mise en scène pour quelques traits de crayon! Comme si ça allait changer quelque chose! Rachel l'attend, une serviette à la main, les sourcils froncés. D'un signe autoritaire de la main, elle lui fait signe d'entrer.

— Pauline, je vais te demander de faire un acte de foi... Tu me laisses aller sans rien dire, sans même te regarder! Pas de commentaires et surtout pas de miroir.

— Oh moi, tu sais, ce que j'en ai à faire des miroirs...

Un tabouret est installé au beau milieu de la salle de bain. Pauline s'assoit sur une fesse, sur l'autre, grimace d'inconfort, dos à la grande glace teintée qui occupe tout un mur. Rachel dépose la serviette sur ses épaules, comme s'il s'agissait d'une immense bavette, puis elle se recule et plisse les paupières.

Et le ton gamin reprend entre elles, à travers des fous rires d'adolescentes. Toutefois, ils ne sont pas comme ceux de tout à l'heure. Il n'y a rien de fuyant dans le geste, mais plutôt quelque chose de libérateur. Une belle et bonne connivence. Exactement comme celle que Pauline a ressentie hier soir, devant l'étrangère du miroir.

Rachel minaude, se recule souvent, juge de l'effet, apprécie ou efface puis recommence.

— L'important c'est de trouver la bonne palette de couleurs.

Cela dit sur un ton, mais un ton ! Comme si Pauline était brusquement devenue une œuvre d'art. Elle doit se retenir pour ne pas pouffer. Sac à plumes, on ne rit plus. Rachel doit trouver sa palette de couleurs !

— Reste tranquille un moment. Comment veux-tu que j'arrive à faire quelque chose, si tu grimaces tout le temps ?

— Ça pique...

— Une vraie petite fille... C'est le manque d'habitude. On s'y fait, tu vas voir.

— Pas sûre, moi.

— Attends... Quand tu vas constater le résultat, je suis certaine que tu vas accepter toutes les démangeaisons inimaginables...

— Pas sûre, moi...

— Ma parole, tu manques de vocabulaire.

Un dernier trait autour des lèvres, un coup de pinceau (sac à plumes ! Mais c'est quasiment un plumeau pour épousseter, ce machin-là !) avec une poudre diaphane pour fixer le tout, puis Rachel se recule enfin pour de bon. Lentement, un large sourire éclaire son visage.

— Je le savais... Mais je le savais donc ! Tu peux te retourner, Pauline Ferland.

— Tu crois ?

Indécise, Pauline demeure immobile.

Brusquement, elle a peur d'être déçue. Elle n'arrive pas à se décider.

Alors, s'approchant d'un pas, Rachel fait pivoter le tabouret. Pauline lui lance un regard inquiet.

— Attention, toi là ! Si tu tiens à ton tabouret...

Rachel éclate de rire pendant que Pauline soupire. À moins de se fermer les yeux, ce qui ne serait quand même pas très gentil pour son amie, Pauline n'a d'autre choix que de se regarder. Rachel est excitée comme une petite fille.

— Talam ! Qu'est-ce que tu en dis ?

Encore une fois, Pauline a l'impression

de se retrouver devant une étrangère. Une femme aux yeux pétillants, aux pommettes saillantes comme elle les aime tant. Lentement, les lèvres d'un beau ton de prune bien mûre étirent un large sourire. Oui, ma foi, c'est une assez jolie femme qui sourit à Pauline.

La grosse femme est émue, surprise. Il y a tant de choses qui se bousculent dans sa tête qu'elle ne sait que dire. Est-ce bien elle, là, une grande serviette rose autour des épaules? Pour être bien certaine, elle penche la tête un instant, en déplaçant son poids d'une fesse à l'autre. Hé oui! La serviette est bel et bien autour de son cou. Alors, elle énonce platement:

— C'est fou ce qu'un trait de crayon peut faire!

Connaissant Pauline comme elle la connaît, Rachel comprend ce que ces mots veulent dire. Furtivement, leur regard se croisent dans le miroir. C'est l'horloge de la cuisine, égrenant les onze coups de l'heure, qui brise cette intimité. Discrète, Rachel s'approche de son amie, lui donne un baiser sur la joue.

— Je vous laisse faire connaissance toutes les deux. Je vais commencer à laver la vaisselle avant que Germain arrive... Tu viendras me rejoindre en bas quand tu seras prête.

Lorsque Pauline se décide enfin à descendre, un éclat particulier illumine son nouveau maquillage. Rachel a fini d'empiler les assiettes sales et l'eau coule dans l'évier. Un linge à vaisselle attend Pauline sur le coin de la table. Mais, au lieu de s'en emparer, comme elle l'aurait fait hier encore, Pauline demeure dans l'embrasure de la porte, s'y appuie négligemment en croisant les bras sur sa poitrine.

— Maintenant, Rachel Courval, on recommence.

La jeune femme se retourne, surprise.

— On recommence?

— Oui, on recommence... On efface tout et on recommence. Je veux savoir exactement comment tu t'y es prise...

Faussement sévère, elle ajoute:

— Il y a sûrement un truc... J'espère seulement que ça ne me prendra pas une heure tous les matins.

Puis, au bout d'un bref silence:

— Parce qu'il faut que je déjeune, moi, avant de partir pour l'école. Sinon, je ne vaux rien de tout l'avant-midi. Et je n'ai pas envie de me lever à cinq heures chaque matin pour essayer de me faire belle.

Se décidant finalement à prendre le linge à vaisselle qui n'attendait qu'elle, Pauline précise, très sérieuse, en rejoignant Rachel près de l'évier:

— Mais, cette fois-ci, tu essaieras de me trouver un fauteuil confortable... J'ai mal aux fesses.

C'est le fou rire de Rachel qui lui répond.

8

Quand Pauline arrive enfin chez elle, il est déjà près de trois heures du matin. Le temps qu'elles ont mis à laver la vaisselle, puis à refaire lentement le maquillage (parle-moi de ça, une chaise qui a de l'allure... pis donne-moi donc un bout de papier que je prenne des notes !) et Germain arrivait. Avec lui, les deux femmes ont échafaudé mille et un projets pour l'arrivée du bébé et une bonne partie de la nuit a coulé sans trop qu'ils s'en rendent compte. L'effet du vin s'étant finalement volatilisé, Pauline a repris le chemin de Baie-des-Sables le cœur en fête, car Rachel et Germain lui ont demandé d'être la marraine du futur héritier. Ils se tenaient assis l'un contre l'autre sur le divan du salon, une supplication joyeuse dans le regard.

Pauline a bondi de son fauteuil, émue, et les a longuement embrassés.

— Oh ! je m'excuse... Je vous ai barbouillé la joue.

Ensemble, tous les trois, ils ont bien ri. Puis, Pauline a pris la route, une belle ondée d'émotion au bord du cœur et des paupières.

Sac à plumes ! Marraine... Pauline Ferland va être marraine. Du plus beau bébé de la terre, c'est plus que certain.

Elle a conduit jusque chez elle, l'esprit partagé entre une courbe, un pyjama parsemé d'oursons et un mobile de toutes les couleurs.

Le vent froid qui la guettait pour son arrivée et le ciel couvert de nuages menaçants lui ont remis les deux pieds sur terre. C'est en courant qu'elle a regagné la maison.

Du coin de l'œil, en passant devant la porte de la cuisine, elle aperçoit le clignotant de son répondeur qui lui fait signe. Éreintée, un vague mal de tête pointant à l'horizon, elle lui tourne catégoriquement le dos. Logiquement, elle ne peut rendre aucun appel à cette heure et la fatigue l'emportant, de toute façon, sur sa curiosité naturelle, elle attaque l'escalier d'un pas lourd.

— Il peut bien clignoter jusqu'à demain, ça ne changera rien...

Scrupuleusement, tel qu'enseigné par Rachel, elle refait le processus du maquillage à l'envers.

— N'oublie jamais de te démaquiller avant de dormir, Pauline. C'est très important... Tiens, prends ces deux bouteilles de crème. Tu me les rendras demain.

D'abord les yeux, puis les lèvres, et finalement le reste du visage.

— Tu parles d'un taponnage...

Malgré ces quelques mots, c'est un sourire qui souligne sa remarque. Demain matin, elle doit prendre Rachel vers dix heures pour se rendre à Gaspé. Les deux femmes se sont même promis de manger chez McDo.

« Et je vous jure, pense Pauline en finissant d'enlever la crème blanche qui lui barbouille le visage, que cette fois-là, je n'oublierai pas de changer les frites pour une poutine. »

Puis, elle échappe un rire en entendant de nouveau les derniers mots de Rachel quand elles achevaient de faire le deuxième maquillage: « Compte sur moi, ma vieille, on va faire mal à ton compte de banque. Et si ça ne suffit pas, on prendra la prochaine longue fin de semaine pour aller jusqu'à Québec. »

Pinceau en l'air, sourcils en bataille, Rachel avait tout d'un général fomentant une rébellion ! Et Pauline, se regardant une dernière fois dans la glace de sa salle de bain, est tout à fait disposée à la suivre...

— Sus à l'ennemi !

Mais d'abord, deux aspirines et un bon lit chaud...

* * *

C'est un violent mal de tête qui réveille Pauline à la pointe de l'aurore. Un vilain goût amer entremêlant vieux vin et nourriture un peu riche lui donnent une bouche pâteuse.

— Ouache ! Je jure de ne plus jamais boire une goutte de vin.

Juste à prononcer le mot, le cœur lui monte au bord des lèvres. Un long frisson de dégoût lui secoue les épaules, alors que l'envie d'un grand verre d'eau minérale se fait presque violence. En deux étapes, elle se retourne donc sur le côté, prend une profonde inspiration et, d'un puissant coup de reins, une main agrippant fermement la couture du matelas, Pauline s'assoit sur le bord du lit.

— Han !

Puis, elle ramène prestement la cuisse droite contre la gauche.

Quand elle revient à sa chambre, elle est tout à fait éveillée et la lourdeur de sa tête laisse présager qu'elle n'arrivera pas à se rendormir.

Machinalement, elle vient jusqu'à la fenêtre.

Le ciel est toujours couvert. De lourds nuages gris sale se bousculent en cascades désordonnées et jettent une houle inquiétante à la surface des flots. La mer se déchaîne en moutons colériques qui gambadent maladroitement les uns sur les autres. Une fine pellicule de sable poudroie sur la plage, en contrebas de la falaise, un peu plus loin à gauche. Le pénombre du petit jour s'incruste, sinistre présage de l'automne qui menace.

La dernière fois que Pauline a pris la mer avec son père, le ciel avait cette même couleur anthracite.

Un reflet ému se joint à ce souvenir. C'était il y a plus de quinze ans. C'était hier.

C'était dans une autre vie.

En deux pauvres petites journées, Pauline a la certitude d'avoir tourné une page.

— Non, ce n'est pas vrai, murmure-t-elle en revenant vers son lit. J'ai l'impression de commencer un autre livre.

Que lui réserve-t-il ? Elle n'en connaît ni les héros ni les péripéties. Pourtant, Pauline a envie de le dévorer, comme à chaque fois qu'elle ouvre le roman d'un nouvel auteur. Elle aimerait tout découvrir en même temps. Le style, les personnages, le rythme, l'histoire. Même si la crainte d'être déçue reste toujours bien présente.

Mais c'est là une réalité à laquelle personne ne pourra jamais échapper, n'est-ce pas ?

Malgré tout, Pauline hausse les épaules. Avec l'âge, elle a compris que les déceptions aussi font partie de la vie. Et ne sont jamais inutiles. Alors, qu'importe ? De toute façon, n'a-t-elle pas toujours dit que l'imprévu était le piment de la routine ?

C'est en se répétant cela, indécise, un genou sur le coin du lit et un pied au sol, qu'elle décide qu'il est peut-être enfin temps de donner un petit coup de pouce au destin.

Et d'apporter elle-même ce zeste d'imprévu qui assaisonnera son quotidien.

Ouvrant un tiroir de sa commode, elle choisit un vieux costume de jogging, un gros chandail de laine.

Brusquement, elle a senti grandir en elle le besoin irrésistible de respirer l'odeur saline et les embruns au goût de varech.

Toucher à la froidure de l'eau et s'enfoncer les deux pieds dans le sable.

Toucher à ses racines pour les enfoncer profondément dans ce qui lui reste à vivre.

Et le faire en toute connaissance de cause, le regard posé sur l'horizon, au-delà de l'infini.

Au-delà d'elle-même qu'elle a choisi d'aimer.

Au petit matin, sous un ciel d'orage, secouée par un vent d'automne. Juste pour savoir encore et encore qu'elle est bien vivante. Juste par besoin de se battre.

En mettant un pied sur le balcon, Pauline s'arrête, interdite, un brin surprise, s'apercevant que la girouette a changé de cap pendant la nuit. Le vent a des tiédeurs inattendues. L'humidité glaciale d'hier s'est envolée sur le dernier banc de brume nocturne.

Pauline dessine un petit sourire.

Il y aura toujours de ces petits riens que la vie nous offre comme un cadeau.

D'un pied léger, elle déboule le talus et tourne à sa gauche. Un peu plus loin, caché dans les foins, le sentier qui mène à la grève n'attend plus qu'elle.

La plage est déserte. Pendant la nuit, le vent a balayé le sable et il ne reste aucune trace de pas. Les dunes se suivent en modulations régulières et dorées.

Pauline a l'impression d'être au bout du monde, isolée sur une île déserte et cela lui est bon.

Elle est seule avec elle-même et curieusement, pour une fois, cela lui suffit.

Profitant d'un trou dans les nuages, le

soleil courtise la mer d'une tentative timide, l'effleurant d'un unique rayon pâlot. Puis disparaît aussitôt, effarouché de provoquer à lui seul autant de brillance. Il se cache un instant, boudeur, avant de revenir, un peu plus faraud, pour vérifier ses dires.

Bien campée sur ses jambes écartées, les pieds solidement plantés dans le sable, Pauline offre son visage à l'intimité du vent qui, sans gêne, s'entortille à ses cheveux. Les yeux mi-clos, elle s'amuse un moment de l'indécision du soleil qui saute d'un nuage à l'autre.

Puis se laisse tomber sur la plage, écrasée par un bien-être sans nom.

Sa vie n'est-elle pas semblable à ce matin d'ombre et de lumière ? N'est-elle pas aussi houleuse que cette mer en furie et en même temps pailletée d'éclats capricieux ? La journée sera-t-elle belle ou au contraire sombre et maussade ? Pauline ne peut le prédire et ne s'en soucie aucunement. Demain, ou après-demain peut-être, le soleil reviendra.

Il finit toujours par revenir.

Fermant les yeux, les mains appuyées sur

le sable derrière elle, la tête renversée sur son épaule, sans raison véritable, lui semble-t-il, elle revoit tous les élèves qui ont croisé son chemin depuis quinze ans. Tous ces visages et toutes ces espérances inquiètes face à la vie qu'elle a accompagnés, qu'elle a soutenus. Ils étaient là, lui offrant leurs questions et leurs craintes. Et il y avait elle devant eux. Il y a encore et toujours elle devant eux. Avec ses joies, ses désillusions, ses revers, ses réussites. Ce qu'on appelle bêtement le travail. Son travail, sa vie.

Une vie qu'elle a choisie et qu'elle aime. Pauline ne doit pas l'oublier. Jamais. L'apparition au creux de ses pensées d'un plumeau citrouille et d'une tignasse mauve lui fait battre le cœur un peu plus vite.

Elle entrouvre les yeux sur une mer étincelante. Un grand pan d'azur s'est imposé, déchirant la grisaille du ciel. Alors, dans sa mémoire, résonne le rire en cascade de Sonia.

Sac à plumes qu'elle l'aime cette vie de professeur !

Puis, elle repense à tous ses confrères.

Ceux qui la suivent depuis les tout débuts, ceux qui viennent de se joindre au groupe, et ceux qui ont quitté pour différentes raisons.

L'image qu'elle a d'eux et les secrets qu'ils garderont enfouis. On ne sait des gens que ce qu'ils veulent bien nous dévoiler.

Et finalement ce matin, devant l'immensité d'un monde qui ne cesse de se renouveler, Pauline admet que c'est bien qu'il en soit ainsi.

Pour elle comme pour les autres. Chacun a le droit de cultiver son coin de jardin à sa guise et à sa ressemblance.

Hier, face à Rachel, Pauline a levé le voile sur les tourments d'une grosse femme qui ne demande qu'à être aimée. Et qui sera toujours un peu craintive devant les autres. Pourtant, ce matin, c'est le boute-en-train qui sera au rendez-vous. Parce qu'au fond d'elle-même, Pauline a décidé qu'il en serait ainsi. Parce qu'au fond d'elle-même, la bonne grosse joviale a aussi le droit d'exister. Et Pauline a vraiment envie de lui laisser la place qui lui revient.

Rachel avait raison: il n'y a que Pauline

qui puisse faire les bons choix face à Pauline.

C'est en comprenant cela que Pauline saura être elle-même jusqu'au bout. En confiance à certains moments, hésitante parfois. Et cela n'a plus vraiment d'importance. Encore une fois, Rachel avait raison: il suffit d'être sincère pour connaître la paix.

Il faut apprendre à se laisser aimer. Tel que l'on est. Tel que les autres nous perçoivent à travers les humeurs que nous leur offrons. C'est parfois tellement facile que cela fait peur. Mais, à d'autres moments, cela nous semble obscur, presque sans issue. C'est alors plus angoissant qu'une nuit sans lune. Et cela, aussi, fait peur.

Pour Pauline, il y aura toujours cette appréhension face à l'autre. Du moment qu'elle l'a compris, elle finira bien par l'accepter et s'en accommoder.

Du moment qu'elle a choisi de s'aimer pleinement sans arrière-pensée. Avec lucidité, tendresse et abandon.

Derrière elle, la cloche de l'église de Baie-des-Sables se met à sonner. C'est l'appel pour la messe de huit heures. Pauline se relève, étonnée que les minutes aient passé si vite.

Elle n'a que le temps de se préparer pour rejoindre Rachel.

Un petit courant d'excitation lui parcourt l'échine. Comme l'a dit Rachel, c'est aujourd'hui qu'elles écument les boutiques de Gaspé !

Surprise, Pauline comprend qu'elle en a terriblement envie.

— Je vais même passer par la quincaillerie pour acheter un miroir à maquillage. Ça doit bien exister...

En remontant la plage en direction du petit sentier, elle entrevoit Gabriel se dirigeant vers son hangar à bateau. Du coin de l'œil, l'homme aperçoit Pauline. Il lève le bras.

— Pauline ! Salut...

Et, dans le timbre de sa voix, vibre un petit quelque chose de chaleureux, en plus de la cordialité habituelle. Comme pour excuser la froideur de jeudi soir.

Un sourire retrousse le coin de la bouche de Pauline, pendant qu'elle rend la salutation.

Ce soir, en revenant de faire les courses, elle va arrêter chez lui. Et l'inviter à prendre un café, si le cœur lui en dit. Pourquoi pas?

Puis, elle détourne la tête au moment où un gargouillis on ne peut plus identifiable lui fait accélérer le pas. La migraine s'étant définitivement volatilisée, l'appétit lui est revenu.

Et c'est très bien comme ça! Sa mère l'a toujours dit: il faut déjeuner, si l'on veut attaquer la journée du bon pied.

Grosse ou pas grosse!

Quand elle entre dans la cuisine, Pauline est accueillie par le clignotant du répondeur. Aux petites heures du matin, perdue qu'elle était dans les brumes de ses excès de la veille, elle n'y avait pas repensé.

Le temps de partir le café, de mettre le bacon à grésiller au micro-ondes, de se servir un jus d'orange.

Alors, d'un index distrait, Pauline presse le bouton pour rembobiner la cassette. Puis repousse le bouton d'à côté avant de venir vers le réfrigérateur pour sortir les œufs.

— Bonsoir Pauline, c'est Raoul... Il est sept heures trente et j'arrive du *Bistro*

Roberto... Escalope de veau au cognac. C'était divin... Alors, je me disais: pourquoi attendre à la semaine prochaine? Enfin, je veux dire, si tu es libre... Je ne sais pas trop... Si ça te tente, on pourrait se reprendre demain soir? J'attends ton appel.

Pauline s'est retournée aux premiers mots du message, a froncé les sourcils devant la voix légèrement indécise de Raoul. Quelle différence avec celle du moqueur impénitent! C'est pourquoi elle est restée immobile à la fin de l'enregistrement. Puis, elle a poussé un grand soupir tremblant.

Un œuf dans chaque main, les bras croisés sur la poitrine, Pauline fixe longuement la petite boîte noire qui jouxte le téléphone.

Et pourquoi pas? On invitera Gabriel à venir demain...

Sans vraiment réfléchir à ce qu'elle fait, Pauline vient jusqu'au répondeur pour repasser la bande.

Pourquoi pas?

De toute façon, une bonne escalope de veau avec des pâtes Alfredo, dans un restaurant, en compagnie de quelqu'un qu'on aime bien, quoi de mieux pour un samedi soir ?

Lentement, un large sourire éclaire son regard, pendant qu'elle se retourne pour prendre un bol afin de battre les œufs.

Un sourire tellement franc qu'il n'a besoin d'aucun artifice pour être aussi invitant qu'une superbe journée de grand soleil.

FIN

DU MÊME AUTEUR CHEZ LE MÊME ÉDITEUR :

Mémoires d'un quartier, tome 5 : *Adrien*, 2010

Mémoires d'un quartier, tome 4 : *Bernadette*, 2009

Mémoires d'un quartier, tome 3 : *Évangéline*, 2009

Mémoires d'un quartier, tome 2 : *Antoine*, 2008

Mémoires d'un quartier, tome 1 : *Laura*, 2008

La dernière saison, tome 1 : *Jeanne*, 2006

La dernière saison, tome 2 : *Thomas*, 2007

Les sœurs Deblois, tome 1 : *Charlotte*, 2003

Les sœurs Deblois, tome 2 : *Émilie*, 2004

Les sœurs Deblois, tome 3 : *Anne*, 2005

Les sœurs Deblois, tome 4 : *Le demi-frère*, 2005

Les années du silence, tome 1 : *La Tourmente*, 1995

Les années du silence, tome 2 : *La Délivrance*, 1995

Les années du silence, tome 3 : *La Sérénité*, 1998

Les années du silence, tome 4 : *La Destinée*, 2000

Les années du silence, tome 5 : *Les Bourrasques*, 2001

Les années du silence, tome 6 : *L'Oasis*, 2002

Les demoiselles du quartier, nouvelles, 2003

De l'autre côté du mur, récit-témoignage, 2001

Au-delà des mots, roman autobiographique, 1999

Boomerang, roman en collaboration
avec Loui Sansfaçon, 1998

« *Queen Size* », 1997

L'infiltrateur, roman basé sur des faits vécus, 1996

La fille de Joseph, roman, 1994, 2006
(réédition du *Tournesol*, 1984)

Entre l'eau douce et la mer, 1994

Visitez le site Web de l'auteure :
www.louisetremblaydessiambre.com

Chrystine Brouillet
Marie LaFlamme
Tome 1: Marie LaFlamme
Tome 2: Nouvelle-France
Tome 3: La Renarde

Fabienne Cliff
Le Royaume de mon père
Tome 1: Mademoiselle Marianne
Tome 2: Miss Mary Ann Windsor
Tome 3: Lady Belvédère

Micheline Duff
D'un silence à l'autre, tome 1: Le temps des orages
D'un silence à l'autre, tome 2: La lumière des mots
D'un silence à l'autre, tome 3: Les promesses de l'aube

Mylène Gilbert-Dumas
Les dames de Beauchêne, tome 1
Les dames de Beauchêne, tome 2

Claude Lamarche
Le cœur oublié

Marguerite Lescop
Le tour de ma vie en 80 ans
En effeuillant la Marguerite
Les épîtres de Marguerite

Antonine Maillet
Madame Perfecta

Louise Portal
Cap-au-Renard

Maryse Rouy
Mary l'Irlandaise

Louise Simard
Thana, La fille-rivière
Thana, Les vents de Grand'Anse

Christian Tétreault
Je m'appelle Marie

Michel Tremblay
Chroniques du Plateau-Mont-Royal,
Tome 1 : La grosse femme d'à côté est enceinte
Thérèse et Pierrette à l'école des Saints-Anges

Louise Tremblay-D'Essiambre
Entre l'eau douce et la mer
La fille de Joseph
Les années du silence,
Tome 1 : La Tourmente
Tome 2 : La Délivrance
Tome 3 : La Sérénité
Tome 4 : La Destinée
Tome 5 : Les Bourrasques
Tome 6 : L'Oasis
« Queen Size »